OUIJA!

EIRLYS GRUFFYDD

Argraffiad cyntaf—1999

ISBN 1 89502 785 7

Dymuna'r cyhoeddwyr gydnabod cymorth
Adrannau Cyngor Llyfrau Cymru.

Argraffwyd gan
Wasg Gomer, Llandysul, Ceredigion SA44 4QL

1

Yn y sgip sbwriel roedd y peth. Roedd y teulu drws nesaf ond un yn symud allan a phob math o bethau diddorol yn cael eu taflu i geg yr anghenfil mawr melyn oedd bron â llenwi'r ffordd o flaen y tŷ. Fe aeth y si ar led eu bod nhw yn Rhif Naw yn ein gadael ni a bod croeso i bawb o bobl y byd ddod i helpu eu hunain o'r sgip. Fe aeth Tomi Rhif Dau Ddeg â chadair go lew; roedd eisiau trwsio'i gwaelod hi—ond beth oedd peth bach fel yna i ddyn handi fel Tomi? Magi Rhif Tri gafodd yr hen lamp—'Dim ond eisiau siêd newydd ac mi wnaiff yn iawn.'

'Cadwch o'r sgip 'na, bendith y nefoedd i chi!' meddai Mam druan. 'Mae 'na fwy na digon o lanast yn ein tŷ ni fel mae, heb hel sbwriel pawb arall ar i ben o!' Bechod na fydden ni wedi gwrando arni. Nefoedd oedd y sgip i ni, paradwys lle roedd posib gwneud rhywbeth allan o ddim heb dalu ceiniog amdano. Ond nid o baradwys ddaeth y peth hwnnw o'r sgip, ac fe drodd ein bywydau ni'n uffern ar y ddaear.

Mali welodd y peth gyntaf. O'r eiliad honno roedd hi wedi gwirioni ag o.

'Be ydy o, Mali?'

'Meindia dy fusnes, Rhys. Rwyt ti'n rhy fach i ddeall!'

Fi'n rhy fach wir! Dim ond blwyddyn yn hŷn na fi ydy hi!

'Ond be ydy o? Gêm fel *Monopoly* neu rywbeth?'

'Na, nid gêm, rhywbeth peryglus iawn, dyna ddwedodd Miss Humphreys wrthon ni yn yr ysgol.'

'Be sy mor beryglus mewn darn o bren a llythrennau'r wyddor arno fo?' gofynnais wedyn. Rhaid 'mod i'n dwp neu rywbeth.

'Wel, mae hwn yn gallu ateb pob math o gwestiynau os wnei di 'u gofyn nhw yn y ffordd iawn.'

'Hy! Dydy o ddim yn edrych fel cyfrifiadur i mi. Ydy o'n gallu dweud pa rifau sy'n mynd i guro'r loteri?' gofynnais wedyn.

'Efallai wir. Pwy a ŵyr? Mi fasai'n werth trio—ond cofia—paid â dweud wrth Mam. Mi fydd hi'n flin efo ni, ac os byddi di'n hogyn da, a glanhau'r cwt cwningen fe gei di ddod efo ni pan fyddwn ni'n ei drio fo allan.'

'Ond Mal, dy dro di ydy hi i lanhau cwt Smwtyn, nid fi!'

'Wyt ti eisiau gwybod sut ma' hwn yn gweithio?'

'Ydw siŵr.'

'Wel dos ati i lanhau'r cwt yna. O—a Rhys, cofia—dim gair wrth neb, neu mi daga i ti.'

Ac roedd hi'n ei feddwl o hefyd.

Roedd hi wedi cuddio'r peth yn y sièd mewn bag plastig *Tesco*. Mi wyddwn i na fyddai hi'n hir iawn cyn ei ddefnyddio fo—beth bynnag oedd o, a phan welais i'r merched yn dod i fyny'r lôn roeddwn i'n barod amdanyn nhw.

'Eisiau gweld Mali dach chi?' holais, yn ddi-feddwl.

'Ie'r twpsyn. Pwy wyt ti'n meddwl 'dan ni wedi dod i weld—y Cwîn?' meddai Siân, gan edrych i lawr ei thrwyn arna i.

'Wyt ti am symud o'r giât 'na i ni gael dod i fewn?' holodd Rhian, gan wthio'i bol tew yn fy erbyn i. Ach! gas gen i'r hogan, mae'n ddigon i wneud i rywun chwydu, ydy wir.

'Ydy dy fam adre?' holodd Mari.

'Pa fath o gwestiwn ydy hwnna?' meddwn i. 'Pa fusnes ydy o i ti os ydy Mam adre?'

'Rhys, symud o'r ffordd a gad iddyn nhw ddod i'r tŷ!' gorchmynnodd Mali o ffenest y llofft. Gan fod mwy ohonyn nhw nag ohono' i doedd gen i ddim dewis ond ufuddhau—ond doeddwn i ddim wedi fy nghuro chwaith. Dyma fi'n ei baglu hi i lawr at Gwion. Roedd o wrthi'n cicio pêl yn erbyn wal y tŷ.

'Gwion, tyrd acw, wir Dduw. Mae Mali wedi cael gafael ar rywbeth rhyfedd yn sgip Rhif Naw, ac mae hi a'i ffrindiau yn mynd i'w drio fo allan yn y llofft. Tyrd i weld be ydy o.'

'Ydy dy fam adre?' Be oedd ar ben pawb yn holi am Mam drwy'r amser?

'Nac ydy. Mae hi 'di mynd i weld Nain am y p'nawn.'

'O, mi ddo i felly.'

Un rhyfedd ydy Gwion. Faswn i'n gwneud dim efo fo a dweud y gwir, heblaw 'mod i'n brin o fechgyn yr un oed â fi yn y stryd. Mae'n iawn yn yr ysgol ond ar ôl dod adre mae'n dlawd arna i am gwmni. Dyna pam roeddwn i'n gorfod chwarae tipyn efo Mali pan oeddwn i'n llai—ond wna i ddim chwarae efo merched eto—byth!

'Tyrd yn dy flaen, Gwion, neu mi fydd yr hwyl drosodd cyn i ni gyrraedd.'

'Oes 'na rywun yna?' Roedd llais Mali'n swnio'n od yr ochr arall i'r drws.

'Oes, Gwion a fi,' meddwn i wrth agor y drws a mynd i mewn.

Roedd hi fel bol buwch yn y stafell a'r llenni wedi eu cau a hithau'n ganol y prynhawn.

'Be dach chi 'neud yn eistedd yn y twllwch?'

Yna mi welais i o—y peth o'r sgip—ar ganol y llawr, a gwydr yfed a'i ben i lawr ar ei ganol o.

'O bwrdd *ouija*!' meddai Gwion.

'Be?' meddwn i. 'Bwrdd wî-ja?'

'Ie. Peth peryglus. Ydy dy fam yn gwybod?'

'Nac ydy.'

'Ond beth ydy o, Gwion? Ateb fi!'

'Peth i dy helpu di i siarad efo ysbrydion.'

'Ie wir?'

'Ie,' oedd ateb Mali.

'Wel, dwyt ti ddim mor dwp ag wyt ti'n edrych, was,' meddwn i wrth Gwion.

'Diolch, mae'n braf cael ffrindiau,' meddai hwnnw fel llo.

'Wel gan bo' chi yma waeth i chi ddod i fewn ddim. Rhaid i chi gofio bod yn ddistaw, iawn—ocê, Rhys.'

'Iawn, Mali. Wna i ddim anadlu hyd yn oed . . .'

Dyma hi'n gosod y gwydr ar ganol y bwrdd a phawb yn rhoi ei fys arno fo.

'Oes 'na rywun yna?' gofynnodd Mali wedyn, a wir i chi dyma'r peth yn symud fel y gwynt at yr O wedyn at E a wedyn at S—OES.

'Pwy wyt ti?'

Dyma'r gwydr yn saethu o un pen i'r bwrdd i'r llall.

G . . . R . . . W . . . N . . . D . . . I . . .

'Grwndi? Grwndi!' meddai Mali. Am funud roedd pawb yn ddistaw. Doeddwn i ddim yn siŵr beth i'w ddisgwyl. Roeddwn i eisiau chwerthin, meddwl pa mor dwp oedden ni i gyd yn edrych—yn eistedd o gwmpas y bwrdd *ouija* yn y tywyllwch. Ond fedrwn i ddim chwerthin rhag ofn ei fod o'n beryglus fel roedd y lleill wedi dweud.

'Grwndi . . .' meddai Mali wedyn.

Yn sydyn dyma ddrws y cwpwrdd dillad yn agor yn araf bach a dwy lygaid fawr yn sgleinio ar bawb a Grwndi'r gath yn dod allan a dechrau canu grwndi a rhwbio yn erbyn Mali. Roedd rhai o'r merched yn sgrechian ac yna'n chwerthin fel ffyliaid. Roedd ofn arnyn nhw—ofn cath frech oedd wedi bod yn cysgu yn y cwpwrdd dillad ac wedi deffro wrth glywed rhywun yn galw ei henw! Os oedd 'na ysbryd o gwmpas roedd o'n hoffi jôc, meddyliais.

'O, Grwndi, fe wnes di'n dychryn ni,' meddai Mali gan chwerthin.

Clep! Dyna'r drws ffrynt yn cau. Roedd Mam adre. Dyma fi'n llusgo Gwion i'm llofft i a thaflu pentwr o gomics ar y llawr.

Mi fedrwn i glywed Mam yn dod i fyny'r grisiau fel trên.

'Be sy'n bod ar bawb, i fewn yn y tŷ fel hyn a hithau'n braf?'

Edrychais heibio iddi. Roedd y llenni ar agor, dim golwg o'r bwrdd *ouija*, a'r merched yn chwarae cardiau yn hollol ddiniwed!

Mi wyddwn i na fyddai Mali fawr o dro cyn ei drio fo allan eto. Oedd 'na ysbryd go iawn wedi symud y gwydr? Wyddwn i ddim. Hwyrach mai Mali oedd wedi sillafu enw Grwndi ar y bwrdd *ouija*. Wedi'r cyfan roedd hi'n meddwl y byd o'r gath ac yn chwilio amdani yn aml. Mae'n rhaid mai dyna ddigwyddodd. Doeddwn i ddim yn credu mewn ysbrydion, a dyna ddiwedd ar y peth.

Mi roeddwn i'n iawn, roedd Mali eisiau trio'r bwrdd *ouija* allan unwaith eto. Roedd Mam yn gweithio'n hwyr yr wythnos honno ac roedd Mali wedi bod yn od ers dau ddiwrnod, yn dawel iawn, fel pe bai hi'n cynllunio rhywbeth pwysig. Erbyn nos Iau roeddwn i'n gwybod fod rhywbeth ar y gweill.

'Dos i nôl sglodion o'r siop i ti dy hun a pryna can o oren . . .'

Dyma hi'n gwthio papur pum punt i'n llaw i . . .

'A mi gei di gadw'r newid . . .'

Papur pum punt? O lle roedd Mali wedi cael gafael ar bapur pum punt? Gobeithio nad oedd hi wedi dechrau dwyn eto. Roedd pethau wedi bod yn ddrwg iawn rhyngddi hi a Mam y tro diwethaf. Dwyn arian o bwrs Mam a mynd i brynu rhyw hen lipstic a phersawr a hwnnw'n drewi dros bob man, nes i Mam ddechrau amau.

'Mali—wyt ti wedi bod yn dwyn eto?' meddwn i gan edrych mewn syndod ar y papur ar gledr fy llaw.

'Naddo!'

'O lle ces di'r arian 'ma 'te?'

'Dydy o ddim o dy fusnes di. Dos neu mi fydd yna giw anferth yn y siop.'

'Wyt ti am i mi ddod â rhai i ti?' gofynnais gan edrych ar y papur pum punt.

'Na. Mi ga i beth nes ymlaen . . . pan ddaw Mam adre . . .'

Roedd hi eisiau cael fy ngwared i, meddyliais. Arwydd drwg. Roedd rhywbeth ar y gweill, roedd hynny'n siŵr.

'Ocê, mi a' i 'ta,' ac allan â fi, ar hyd y stryd ac i gyfeiriad y siop sglodion.

Roedd Mali'n iawn fel arfer. Roedd 'na andros o giw yn y siop. Ond pwy oedd yno yn aros ei dro ond Gwion.

'Rhys—tyrd i fan yma, was. Mi gei di fynd o 'mlaen i os wyt ti eisiau.'

Os mêts, mêts. Chwarae teg i'r hen Gwion. Roedd 'na rywbeth reit dda ynddo fo.

'O diolch i ti. Dwi ar lwgu. Mae Mam yn gweithio'n hwyr wythnos yma a dim ond Mali a fi sy adre.'

'Wyt ti wedi clywed oddi wrth dy dad yn

ddiweddar?' holodd Gwion yn ddistaw bach gan geisio bod yn glên.

'Do, llythyr dechrau'r wythnos. Mae o'n gobeithio dod allan cyn hir.'

'O, reit dda.'

Dad druan, mi fu'n ddigon anlwcus i gael ei ddal, ond chwarae teg iddo, ddaru o ddim bradychu'r lleill. Mi wnaeth yr heddlu bopeth i geisio'i gael i ddweud pwy oedd y lleill yn y criw ond ddwedodd o'r un gair o'i geg. Wedi'r cyfan dim ond gyrru'r fan oedd o. Doedd o ddim yn gwybod fod y stwff wedi ei ddwyn. Doedd ganddo fo ddim syniad o ble roedd yr holl win wedi dod nac i ble roedd o'n mynd chwaith. Dim ond gyrru i warws a'i adael o yno oedd ei waith o. Ond pan gyrhaeddodd o'r lle, roedd yr heddlu yno'n aros amdano . . .

'Ew, ma'r sglodion 'ma'n dda,' meddwn i wrth Gwion wrth gerdded am adre.

'Ydyn, bob amser yr un fath,' oedd yr ateb.

'Piti ei bod hi wedi dechrau bwrw. Mi faswn i wedi mwynhau mynd am gêm o bêl-droed heno ond mae'n wlyb braidd.'

'Does dim ofn glaw arnat ti fel arfer!' oedd sylw Gwion.

'Wel a dweud y gwir wrthat ti, Gwi, rwy'n amau braidd fod Mali am drio'r hen beth yna eto heno.'

'Y bwrdd *ouija* yna?'

'Ie, hwnna. Wyt ti awydd dod i'n tŷ ni i weld y miri?'

'Ew ie, pam lai.'

Roedd hi'n dywyll fel y fagddu yn tŷ ni. Rhyfedd, meddwn i wrthyf fi fy hun wrth fynd drwy'r giât, fel arfer bydd Mam yn dwrdio am fod trydan yn llosgi mewn stafelloedd gwag.

'Rhyfedd,' meddai Gwion, 'does dim golau yn unman.'

Bron na fydda i'n credu ambell dro ei fod o'n gallu darllen fy meddwl i!

'Dwi'n siŵr fod Mali a'i ffrindiau'n chwarae efo'r bwrdd *ouija* 'na eto. Rhaid i ni fod mor ddistaw â llygod wrth fynd i'r tŷ, wedyn mi fedrwn ni glywed popeth heb iddyn nhw'n clywed ni. Iawn, Gwi?'

'Iawn.'

Pan aeth y ddau ohonom i mewn i'r gegin roedd rhyw arogl dieithr yno, rhyw fath o bersawr ond eto nid dyna oedd o. Roedd yr arogl yn gryfach fyth wrth ddrws y parlwr a rhywun yn siarad yn y tywyllwch yr ochr draw i'r drws.

'Oes 'na rywun yna?'

'Oes, fi a Gwion,' meddwn i gan agor y drws yn sydyn a neidio i mewn.

Roedd hi'n bandemoniwm llwyr am ddau funud wrth i sgrechian mawr ddod o'r stafell, a Gwion a finnau'n torri'n boliau'n chwerthin.

'Rhys! Pam fod rhaid i ti sbwylio popeth?' gwaeddodd Mali.

Wedi i mi gyfarwyddo â'r tywyllwch ac ar ôl i bob dim dawelu fe welais fod y gang i gyd yno fel o'r blaen. A bu bron i mi faglu dros draed anferth Mari. Roedden nhw'n amlwg yn flin ein bod ni wedi torri ar draws yr hwyl ac felly mi es ati i wneud pethau'n waeth.

'Be 'di'r drewdod ofnadwy 'ma?' holais a dyma bwff o fwg yn codi i'r awyr o rywbeth fel pensil hir oedd yn sefyll mewn potyn yn y lle tân.

'Jos stic,' meddai Rhian yn hollwybodus.

'Be 'di hynny?' holodd Gwion. Roedd o mor dwp â fi y tro hwn.

'Mae'r ysbrydion yn hoffi'r arogl,' meddai Siân.

'Chlywais i erioed y fath lol,' meddwn i wedyn.

'Mae o'n help i greu awyrgylch . . .' oedd cynnig Mali.

'Creu drewdod wyt ti'n ei feddwl.'

'Os dach chi'ch dau am ddod aton ni fydd 'na ddim lol heno fel y tro o'r blaen. Mae hwn *for real* . . .'

Mae'n gas gen i Mali pan fydd hi'n defnyddio geiriau Saesneg. Roedd hi'n amlwg mai gwneud hyn i ddangos ei hun oedd hi.

'Iawn,' meddwn i, a dyma ni'n dau'n eistedd ar y llawr o flaen y peth ac yn rhoi ein bysedd ar y gwydr.

'Oes 'na rhywun yna?' holodd Mali.

O . . . E . . . S.

Roeddwn i'n meddwl mai Mari oedd yn ei

wthio ond wrth edrych ar ei hwyneb gallwn weld ei bod wedi cael cymaint o fraw â'r lleill.

'Beth yw dy enw di?'

O . . . W . . . E . . . N . . . P . . . R . . . I . . . T . . . C . . . H . . . A . . . R . . . D

'Owen Pritchard,' ailadroddodd Mali.

I . . . E.

'Beth yw dy neges di i ni, Owen Pritchard?'

Mi gymrodd gryn amser ond fe ddwedodd ei fod wedi byw yn y pentre ymhell dros gan mlynedd yn ôl. Doedd neb wedi gofalu am ei fedd ac roedd o am i ni fynd yno i'w lanhau.

'Ddim heno, mae'n bwrw gormod!' meddwn i gan chwerthin.

Yr eiliad honno fe neidiodd y gwydr oddi ar y bwrdd, taro'r wal a malu'n deilchion.

Rhoddodd Rhian sgrech. Fe afaelodd Siân ynof a'm gwasgu'n dynn. Roeddwn i'n meddwl yn siŵr ei bod hi am wasgu'r anadl olaf allan ohona i pan gododd Mali a chynnau'r golau. Fe ollyngodd Siân fi fel pe bawn i'n lwmp o faw ci, a hwnnw'n boeth!

Heb ddweud gair wrth neb, cododd Mali'r peth o'r sgip a'i osod yn ôl yn ei fag *Tesco*.

'Pawb adre!' meddai mewn llais awdurdodol.

'Ie, mae Mali'n iawn. Pawb adre,' meddwn i gan wybod y byddai Mam yn flin iawn pe bai'n dod i wybod am y bwrdd *ouija*. Chwythodd Mali ar y mwg drewllyd a diffodd y peth.

'Agor y llenni a'r ffenestri a gad i awyr iach ddod i mewn, Rhys. Cliria'r gwydr yna cyn i Mam ddod adre,' meddai Mali wedyn. Roedd hi'n dangos ei hun braidd, ond hi oedd yn iawn. A dweud y gwir roedd hi'n o agos i fod yn iawn y rhan fwyaf o'r amser. Dyma fi'n codi'r darnau'n ofalus a'u gosod ar ddarn o bapur newydd, lapio hwnnw a'i gau efo tâp gludiog a'i osod yn y bin. Erbyn hyn roedd pawb wedi ei heglu hi.

'Wela i di, was,' meddai Gwion wrth fynd.

Mae'n siŵr fod y merched wedi dweud rhywbeth wrth Mali hefyd ond wnes i dalu fawr o sylw iddyn nhw.

Un glyfar yw Mali. Aeth ati ar unwaith i ffrio bacwn a llenwi'r lle ag arogl bwyd. Pan ddaeth Mam adre doedd dim arwydd fod unrhyw beth gwahanol i'r arfer wedi digwydd yn tŷ ni y noson honno, ond mi roeddwn *i*'n gwybod ac mi roedd Mali'n gwybod hynny hefyd. A phe bawn i wedi gallu edrych i'r dyfodol mi fyddwn i wedi lapio'r peth o'r sgip mewn papur a'i daflu *fo* i'r bin hefyd; cael gwared â'r peth cyn iddo fedru gwneud dim drwg . . . ond wyddwn i ddim pa fath o bŵer rhyfedd oedd ynddo . . . yr adeg honno. Nawr dwi'n gwybod yn well . . .

‘Rhys, paid â dweud gair wrth Mam, wnei di,’ meddai Mali wedi i ni gyrraedd adref o’r ysgol y diwrnod wedyn.

‘Dweud beth?’ meddwn i a’m ceg i’n llawn o gacen.

‘Am beth ddigwyddodd neithiwr, am Owen Pritchard . . .’

Owen Pritchard? Pwy oedd hwnnw? Oedd Mali wedi dechrau mynd allan efo rhyw fachgen yn y dref?

‘Pwy?’ holais ar ôl llyncu llond ceg arall.

‘Owen Pritchard, y bachgen oedd yn byw dros gan mlynedd yn ôl.’

‘O—am y peth o’r sgip rwyt ti’n sôn, a’r gwydr yn torri, a Siân yn gafael yno’ i nes bron a’m gwasgu i farwolaeth. Na, ddweda i’r un gair!’

‘Fedra i ddim peidio meddwl amdano fo, am Owen Pritchard . . . Wnei di ffafr a mi?’ Heblaw bod fy ngheg i’n llawn o gacen unwaith eto mi faswn i wedi gosod amodau—ond ches i ddim cyfle.

‘Wnei di ddod gyda fi i’r fynwent dydd Sadwrn i chwilio am ’i fedd o?’

Bron i mi dagu. Fel roedd hi mi ges i andros o

job i stopio pesychu. Roedd briwsion o'r gacen wedi mynd i'n llwnc wrth i mi anadlu i mewn efo'r sioc. Os oes un man mae'n gas gen i fynd iddo, mynwent ydy hwnnw. Nid 'mod i ofn bwganod ac ysbrydion a phethau gwirion fel 'na, ond fydda i byth yn teimlo'n hapus mewn mynwent. Rhyw deimlo fydda i bod rhywun yn fy ngwylio i o hyd . . .

Wedi golchi'r gacen i lawr gyda diod o oren dyma fi'n llwyddo i ateb, 'Ond i be, Mali? Wyt ti'n meddwl y cawn ni hyd i'r bedd? Go iawn?'

'Mae'n rhaid i ni ddod o hyd iddo. Mi gawn ni wybodaeth am ei oed yn marw, lle roedd o'n byw a phethau felly. Yna pan ddaw o i siarad â ni y tro nesaf fe gawn ni holi cwestiynau iddo fo. Mi fyddwn ni'n gwybod yr ateb cywir, felly fedr o ddim ein twyllo ni. Wyt ti'n gweld?'

'Ond Mali, efallai na fedrwn ni ddod o hyd i'r bedd. Roedd rhai pobl yn rhy dlawd i gael carreg fedd, yn doedden?'

Roedd hi'n werth rhoi cynnig ar rywbeth ond mi wyddwn i nad oedd modd perswadio Mali i aros adref dydd Sadwrn.

'Tyrd o 'na! Mi awn ni i chwilio gyntaf, wedyn fe gawn ni weld . . .'

Does ofn neb na dim arna i—fel arfer—ond dydd Sadwrn roedd hi'n bwrw glaw mân drwy'r dydd, hen ddiwrnod fflat, digon i godi'r felan ar unrhyw un. Roedd y glaw yn treiddio i bobman a ninnau'n wlyb domen cyn dechrau. Yng nghanol y fynwent mae adfeilion yr hen eglwys. Mae wedi ei chau ers blynyddoedd lawer ac un newydd wedi ei hagor yn y dref. Does neb yn mynd ar gyfyl yr hen le erbyn hyn, dim ond ffyliaid fel ni. Mae'n beryglus a dweud y gwir, y ffenestri wedi torri a'r llechi wedi syrthio o'r to. Mae brain yn nythu yn y tŵr a'u crawcian yw'r unig sŵn fedrwch chi ei glywed yno.

Fuoch chi mewn hen fynwent rhyw dro a neb wedi bod ar ei chyfyl ers blynyddoedd, a drain a mieri ym mhobman? Yn waeth na dim roedd 'na gannoedd o gerrig beddi blith draphlith ar draws ei gilydd a dim math o lwybrau rhyngddyn nhw. Roeddwn i wedi difaru addo dod gyda Mali i chwilio. Ar ôl bron i ddwy awr a degau o gerrig beddau roeddwn i wedi 'laru.

'Tyrd adre wir, Mali, neu mi fyddwn ni'n dau'n swp sâl. 'Dan ni'n siŵr o ddal coblyn o annwyd ar ôl bod yn fan hyn.'

Am unwaith gwelodd Mali 'mod i'n siarad synnwyr.

'Iawn, mi awn ni am adre—ond gad i ni fynd i ben y rhes yma. Mae llawer o bobl yn fan hyn wedi marw tua 1850 . . .'

Ymlaen â ni o fedd i fedd a dim sôn am unrhyw Pritchard yn unman—digon o gerrig â Jones, Davies, Evans, Thomas a Williams arnyn nhw ond dim un Pritchard.

'Roedd o'n rhy dlawd i gael carreg fedd mae'n siŵr i ti,' meddwn i wrthi—ond waeth i mi heb—doedd Mali'n gwrando dim. Roedd hi'n sefyll fel delw o flaen clamp o garreg fawr ddu ac wrthi'n brysur yn copïo rhywbeth i lyfr nodiadau.

'Be? Wyt ti wedi dod o hyd iddo fo?'

Dim ateb. Dyma fi draw ati. Roeddwn i ar fin dweud 'Bw!' y tu ôl iddi pan ddigwyddais edrych ar y garreg fedd a darllen:

ER COF ANNWYL AM
OWEN PRITCHARD
TYDDYN BACH, LLANGERWYN
A FU FARW AWST 12fed 1854
YN 14 MLWYDD OED.
DYDDIAU DYN SYDD FEL GLASWELLTYN

HEFYD

MARGED PRITCHARD
CHWAER YR UCHOD
YR HON A FU FARW MAI 13eg 1908
YN 63 MLWYDD OED
YR HYN A ALLODD HON HI A'I GWNAETH

'Dyma fo i ti, Rhys. Doedd o ond un deg pedwar pan fu o farw. Beth ddigwyddodd iddo fo tybed? Mi fydd rhaid i ni ffeindio allan . . .'

Roeddwn i eisiau gweiddi 'Na, Mali—gad lonydd i'r meirw!' ond wnes i ddim. Roedd yr hen olwg benderfynol yna yn ei llygaid hi.

Roeddwn i wedi ei weld o lawer tro o'r blaen a doedd dim y medrwn i na neb arall ei wneud i newid ei meddwl os oedd hi wedi penderfynu gwneud rhywbeth. Ond mi ddyliwn i fod wedi dweud wrth Mam cyn cysgu'r noson honno, dweud popeth wrthi, am yr hen beth o'r sgip a phob dim, ond wnes i dim. Doedd dim ofn Mali arna i, ond roeddwn i'n ei adnabod yn reit dda. Doedd hi ddim yn hoffi i neb ei chroesi. Os oedd rhywun wedi pechu yn ei herbyn byddai'n dig am hydoedd. A phan oeddech chi'n meddwl ei bod wedi anghofio am yr hyn oedd wedi digwydd byddai'n codi'r hen grachen unwaith eto, ac yn danod popeth i chi.

Er bod eisiau ei thrin yn reit ofalus weithiau, roeddwn i'n hoffi Mali. Roedd yn well gen i ei chael *hi* fel chwaer na neb o'r merched gwirion yna roedd hi'n eu galw'n ffrindiau. Rwy'n gwybod nawr y dylwn i fod wedi dweud wrth Mam, er lles Mali, ond wnes i ddim, a phe byddwn i ond yn gwybod beth oedd o'n blaenau ni y prynhawn hwnnw mi fyddwn i wedi rhedeg o'r fynwent yna nerth fy nhraed . . .

Mi wyddwn i o'r gorau y byddai'n rhaid i Mali gael ei ffrindiau acw cyn hir er mwyn cael trio'r hen beth eto, ond nid felly y bu hi. Roedd rhyw newid rhyfedd wedi dod drosti. Doedd y merched ddim yn hoffi'r Mali newydd ddistaw yma. Doedd hi ddim yn mynd allan a doedd neb yn galw acw chwaith.

'Be sy'n bod, Mali,' gofynnais iddi un amser te. 'Pam wyt ti mor ddistaw?'

'Mae'n rhaid i mi siarad efo Owen eto,' meddai mewn rhyw lais rhyfedd.

'Owen! O na! Nid hwnna eto, Mali!'

'Ie, Owen Pritchard—wyt ti'n cofio—yr enw ar y garreg fedd . . .'

'Defnyddio'r hen beth yna o'r sgip?'

'Ie. Dim ond ti a fi . . .'

'Wyt ti'n meddwl fod hynny'n beth call?' gofynnais. 'Ydy o'n beth diogel i'w wneud?'

'Diogel neu beidio mae'n rhaid i mi,' oedd sylw Mali.

Roedd Mam yn gweithio'n hwyr eto a dim i'n rhwystro ni. Dyma fynd i lofft Mali a chau'r llenni, gosod yr hen beth ar y llawr a rhoi'n bysedd ar y gwydr.

'Oes 'na rywun yna?' holodd Mali.

Ar unwaith dyma'r gwydr yn dechrau symud fel peth gwirion ac Owen Pritchard yn danfon neges:

'Mali . . . tyrd . . . i'r . . . eglwys . . . heno . . . am . . . hanner . . . nos . . . ar dy ben . . . dy hun . . .'

'I'r hen eglwys? Fedra i ddim . . .' meddai Mali'n uchel.

'RHAID . . . RHAID . . . RHAID . . .'

'Ond fedra i ddim . . . mae'n rhy beryglus . . .'

'RHAID . . . RHAID . . . RHAID . . . NEU . . . MI . . . FYDDA . . . I'N . . . FLIN . . . IAWN . . .'

'NA!' gwaeddodd Mali'n uchel. Yr eiliad nesaf saethodd y gwydr ar drws y stafell, taro'r wal a malu'n deilchion. Neidiais am y llenni a'u hagor. Roedd wyneb Mali fel y galchen ac roedd hi'n crynu fel deilen.

'Be wna i, Rhys? Fedra i ddim mynd i'r hen le ofnadwy yna. Mae'n ddigon drwg yn y dydd, ond am hanner nos . . . ac ar fy mhen fy hun . . .'

Dechreuodd grio. Doeddwn i ddim wedi gweld Mali'n crio ers i Dad fynd i ffwrdd a wyddwn i ddim beth i'w wneud. Dyma fi'n rhoi fy mraich am ei hysgwyddau.

'Paid â chrio, Mali fach, neu bydd Mam yn amau rhywbeth.'

Sychodd ei dagrau'n sydyn.

'Fedra i ddim mynd, na fedra Rhys. Mae synnwyr cyffredin yn dweud . . .'

'Ydy, Mali. Rwyt ti'n iawn. Peth gwirion fyddai i ti fynd at yr hen eglwys ar dy ben dy hun . . .'

'Ond os na fydda i yno tybed beth fydd yn digwydd?'

'Dim byd, siŵr iawn. Mae'r holl beth yma wedi mynd yn rhy bell, Mali. Dwi am lapio'r gwydr sy wedi torri a'r hen beth *ouija* 'na mewn bag a rhoi'r cyfan yn y bin sbwriel nawr. Dim mwy o'r lol yma neu mi fyddi di'n sâl . . .'

Mewn dim amser ro'n i wedi'u sodro nhw mewn bag sbwriel du yng nghanol pob math o sbwriel arall. Mi fyddai'r dynion yn galw amdano ben bore fory a'r hen beth afiach wedi mynd am byth. Wedi cau'r bag sbwriel dyma fi'n ei gario a'i osod ar y palmant o flaen y tŷ. Byddai dim rhaid i Mali boeni amdano eto.

Doeddwn i ddim yn gallu setlo i gysgu y noson honno. Am hanner nos union es yn ddistaw bach ar hyd y landing i lofft Mali. Roedd hi'n cysgu'n dawel, diolch byth, a'r holl helynt wedi ei anghofio. Doedd dim angen i mi boeni amdani felly. Rhaid 'mod i wedi cysgu'n drwm. Chlywias i mo'r cloc larwm, dim ond Mam yn gweiddi dros bob man.

'Mae gwydr y drws ffrynt wedi malu'n deilchion a llanast o'r bin sbwriel dros yr ardd i gyd!'

Rhuthrais i weld beth oedd yn bod ac roedd y peth yn hollol wir. Ar lawr y cyntedd roedd gwydr mân ym mhobman. Rhedais i lofft Mali. Roedd hi'n dal i gysgu—ond ar waelod ei gwely roedd yr hen beth o'r sgip a chroen tatws drosto i gyd . . .

Rhywsut llwyddodd Mali i guddio'r bwrdd *ouija* cyn i Mam gyrraedd y llofft. Roedd Mam yn flin iawn. Roedd hi'n cymryd yn ganiataol mai fandaliaid oedd wedi achosi'r llanast ac wedi torri'r gwydr. Roedd pethau fel 'na'n digwydd yn aml yn ein stryd ni.

'Beth sy'n bod ar y fandaliaid hurt 'na! Does gen i ddim dyn i drwsio'r drws i mi. Mi fydd rhaid talu rhywun am osod gwydr newydd. Ac mae'r moch wedi taflu cynnwys y bin sbwriel dros yr ardd! Rhys—dos allan i'r ardd yna y munud yma a chliria'r holl lanast yna . . .'

Pan fydd Mam mewn hwyl ddrwg does neb yn meiddio tynnu'n groes iddi.

Wrth gerdded i'r ysgol cefais gyfle i siarad â Mali.

'Rhaid i ni gael gwared â'r bwrdd *ouija*, Mali. Mae o'n beryglus. 'Dan ni'n chwarae â thân. Beth petai mwy o bethau'n malu yn y tŷ? Fedrwn ni ddim cuddio popeth oddi wrth Mam. Beth wyt ti'n ddweud?'

'Mi wnest ti gael gwared ag o, on'd do, ond mi

ddaeth y peth yn ôl i fewn i'r tŷ heb i neb fod ar ei gyfyl.'

'Oes ofn arnat ti, Mali?'

'Oes, ond mae'n rhaid i ni wneud beth mae o'n ei ofyn. Bydd rhaid i mi fynd i fyny at yr hen eglwys am hanner nos.'

'Dwyt ti ddim yn mynd dy hun. Mi ddo' i efo ti.'

'Ar fy mhen fy hun ddwedodd o.'

'Ie, mi wn i hynny ond wna i ddim gadael i ti fynd i'r lle ofnadwy yna ar dy ben dy hun, Mali, rwy'n addo . . .'

A dyna sut y ces i fy hun yn cerdded ar hyd y llwybr rhwng y cerrig beddau ac yn mynd draw at yr eglwys yng ngolau'r lleuad am chwarter i hanner nos. Roedd Mali'n mynd o'm blaen i. Dydy'r lle ddim ar agor fel arfer, mae o'n rhy beryglus i hynny, ond y noson honno, wn i ddim beth ddigwyddodd. Wrth i Mali bwyso yn erbyn y drws fe agorodd a bu bron iddi syrthio i mewn i'r hen le. Roeddwn i ar fin rhedeg ati ond rhywsut cofiais am neges yr ysbryd, 'Rhaid i ti ddod ar dy ben dy hun,' a dyma benderfynu aros y tu ôl i garreg fedd go fawr a gwylio beth oedd yn digwydd.

Aeth amser heibio a dim golwg fod Mali'n dod allan o'r eglwys. Edrychais ar fy wats yng ngolau'r lleuad. Roedd hi'n chwarter wedi hanner nos. Yn araf bach cerddais at y drws. Roedd hi fel bol buwch y tu mewn i'r adeilad ond yr arogl oedd waethaf, arogl sur nad oeddwn i'n gyfarwydd ag o. Cerddais gam wrth gam i mewn i'r tywyllwch. Fedrwn i weld dim am eiliad yna, yn raddol, wrth i mi ddod i arfer gyda'r tywyllwch, gallwn weld y ffenestri'n llai tywyll na'r muriau.

'Mali!' sibrydais. Dim ateb. 'Mali!' meddwn i'n uwch. Roedd rhaid iddi fod yma. Roeddwn i wedi ei gweld yn cerdded i mewn drwy'r drws â'm llygaid fy hun. O'r diwedd collais fy amynedd.

'Mali, lle rwyt ti? Ateb wnei di, Mali?' gweiddais.

Wn i ddim beth ddigwyddodd wedyn. Fe syrthiodd cawod ddu drosta i i gyd. Am eiliad doedd gen i ddim syniad beth oedd wedi digwydd, yna sylweddolais fod pethau du yn symud yn ôl a blaen ac yn gwichian yn ofnadwy. Roeddwn i wedi tarfu ar gannoedd o ystlumod oedd yn nythu yn yr hen eglwys. Wedi ymladd fy ffordd drwy'r pethau ffiaidd cerddais ymlaen yn y tywyllwch. Piti na faswn i wedi dod â thorts neu rhyw fath o olau efo fi, meddyliais. Cyn i mi allu meddwl mymryn mwy dyma fi'n baglu dros rywbeth fel sach ar y llawr. Dim ond ar ôl i'r peth riddfan yn uchel y sylweddolais i mai corff rhywun oedd yno. Ac wedi edrych yn agosach gwelais mai Mali oedd yn gorwedd yn llipa ar y llawr oer.

'Mali! Wyt ti'n iawn?' Dim ateb. Dechreuais boeni'n ofnadwy.

'Rhaid i mi dy gael di allan o'r lle uffernol 'ma, Mali,' meddwn gan obeithio ei bod hi'n gallu fy nghlywed i. Roedd y lle'n drwch o lwch a baw ystlumod ac mi wyddwn i y byddai golwg mawr ar Mali druan, ond dyna fo, doedd gen i ddim dewis. Fedrwn i ddim ei chario felly doedd dim amdani ond ei llusgo allan. Eglwys fach oedd hi ond mi ges i andros o drafferth i gael Mali allan fodfedd wrth fodfedd dros y llawr budr. O'r diwedd teimlais awyr iach ar fy ngwyneb. Diolch byth, roedd y gwaethaf drosodd, meddyliais. Roeddwn i ar fin camu allan i olau'r lleuad pan gaeodd y drws trwm yn glep yn fy ngwyneb. Syrthiais yn ôl dros ben Mali. Fedrwn i ddim credu'r peth. Doedd 'na ddim awel o wynt, nac ychwaith yr un dyn byw o gwmpas. Sut fedrai'r drws gau fel hyn? Codais a mynd ato a dechrau chwilio yn y tywyllwch am y glicied ond doedd 'na'r un. Roedd y ddau ohonom yn garcharorion yn yr hen eglwys. Fyddai neb yn gwybod ein bod yno—neb ond yr ysbryd. Beth ddwedai Mam pan fyddai hi'n gweld fod ein llofftydd yn wag yn y bore? Fyddai neb byth yn dod ar gyfyl yr hen adeilad yma. Oedden ni'n mynd i farw o newyn yng nghanol yr ystlumod?

Cyn i mi fedru hel mwy o feddyliau digalon clywais lais Mali yn dweud rhywbeth. Roedd hi'n dechrau dod ati hi'i hun.

'Mali, wyt ti'n iawn?' gofynnais.

'Roedd Owen yma. Mi welais i o'n . . . sefyll o flaen . . . yr allor. Roedd o fel niwl . . . i ddechrau . . . yna fe ddaeth yn gliriach . . . Roedd o'n flin iawn efo fi . . . ac yn fy ngalw i'n Mared. Roedd o'n flin efo ti hefyd . . . am dy fod ti wedi dod efo fi . . .'

'Mared oedd enw ei chwaer.'

'Mae o'n meddwl . . . ei fod o'n fyw o hyd . . . Mae o eisiau dial . . . ar Mared . . . am rywbeth. Roedd o'n dod yn nes ac yn nes ata i . . . a dyna pryd wnes i lewygu.'

Am eiliad fe wylltiais i'n gacwn. Doedd gan neb hawl i ddychryn Mali ni fel yna.

'Owen Pritchard!' gwaeddais. 'Owen Pritchard, wyt ti'n fy nghlywed i? Fy chwaer *i* ydy Mali. Does gen *ti* ddim hawl i'w dychryn hi fel yma. Dos yn ôl i dy fedd a gad lonydd i ni. Wyt ti'n clywed?'

Doeddwn i ddim yn disgwyl ateb ond yn raddol mi aeth hi'n oer fel rhewgell yn yr hen eglwys. Daeth corwynt o rywle ac yn sydyn agorodd y drws trwm gan wichian yn uchel a gadael golau'r lleuad i mewn i'r hen le. Roedd yr ysbryd wedi'n rhyddhau—am y tro. Ymhen dim roeddwn i wedi llwyddo i gael Mali allan i'r awyr iach. Roedd hi'n crynu fel deilen ac yn crio'n ddistaw bach. Rhoddais fy mraich am ei hysgwydd.

'Paid â phoeni, Mali fach, chaiff o ddim dy frifo di, dim tra fydda i o gwmpas.'

'Rhaid i ni ddarganfod mwy amdano fo, Rhys,'

meddai Mali. 'Lle roedd o'n byw? Sut y bu o farw? Rhaid i ni fynd i'r llyfrgell i weld a oes ganddyn nhw hen bapurau newydd o'r ganrif ddiwethaf. Mae'n siŵr y bydd hanes am farwolaeth drwy ddamwain wedi cael ei gofnodi ynddyn nhw. Os fedrwn ni ddarganfod pam mae o mor gas wrth Mared yna byddai gobaith i ni ei helpu fo i gael heddwch o'r diwedd.'

Roeddwn i'n gwrando'n astud ac yn methu credu 'nghlustiau. Ai Mali fy chwaer wirion oedd hon yn siarad fel hen wraig? Roedd yr holl beth yma'n dechrau effeithio arni, mae'n rhaid.

'Iawn, Mali. Mi awn ni i'r llyfrgell ar y ffordd adre o'r ysgol yfory . . .'

'O na—ysgol—fedrwn i byth godi bore fory,' meddai Mali wrth gerdded allan o'r fynwent.

'A fydd 'na'r un o'r rhain yn medru codi chwaith!' meddwn i gan gyfeirio at y beddau.

Roeddwn i'n teimlo'n ysgafn braf, fel pe bawn i wedi dianc o ryw bwll dwfn.

'Faswn i ddim mor siŵr o hynny . . .' oedd ateb cyflym Mali.

6

'Chwilio am hanes eich teulu ydach chi? Wel, da iawn chi,' oedd ymateb y llyfrgellydd wedi i ni ofyn am gael gweld yr hen bapurau newydd.

'Rhaid i chi eistedd fan hyn a defnyddio'r stand yma i ddal y gyfrol . . .'

'Diolch,' meddai Mali'n gwrtais. Roeddwn i'n dechrau teimlo fod yr holl beth yn *boring* braidd a finnau ar frys i gyfarfod â Gwion, ond roedd Mali'n benderfynol o chwilio am hanes Owen. Ar ôl ei phrofiad yn yr hen eglwys neithiwr roedd gen i bechod drosti ac roedd yn rhaid i mi ei helpu.

Wyddwn i erioed o'r blaen fod hen bapurau newydd mor anodd i'w darllen. Roedd papurau am y flwyddyn 1854 wedi eu gosod efo'i gilydd mewn un llyfr mawr. Wrth lwc roedd gennym ni'r union ddyddiad y bu Owen Pritchard farw a hawdd oedd troi at fis Awst. Yn rhifyn yr wythnos ganlynol roedd hanes y ddamwain.

> Syfrdanwyd yr holl ardal yr wythnos diwethaf gan farwolaeth annisgwyl Owen Pritchard, Tyddyn Bach, Llangerwyn ar Awst 12ed mewn damwain. Roedd y bachgen pedair ar ddeg

oed a'i chwaer, Mared, wedi mynd i eglwys Sant Gerwyn brynhawn Sadwrn diwethaf. Roedd eu mam, Marged, gweddw y diweddar William Owen Pritchard, Tyddyn Bach, yn yr eglwys yn gosod blodau ar yr allor, a'r bachgen yn cynorthwyo Tomos Morgan, Derwen Fawr, i agor bedd yn y fynwent. Yn sydyn daeth cri o dŵr yr eglwys. Roedd Mared, naw oed, wedi dringo'r tŵr ond wedi mynd i drafferthion ac yn methu dod i lawr. Heb betruso, rhedodd y bachgen i gynorthwyo ei chwaer. Yna, yn sydyn, syrthiodd o'r tŵr a tharo'i ben yn gïaidd ar garreg fedd. Bu farw yn y man ym mreichiau ei fam. Bu'r cynhebrwng ym mynwent eglwys Sant Gerwyn ddydd Iau, Awst 17. Estynnwn ein cydymdeimlad dwys i'r teulu a'r perthnasau i gyd.

'Am henffasiwn,' meddwn i wrth Mali.

'Felly roedden nhw'n ysgrifennu yr adeg honno,' oedd yr ateb.

'Mae gen i biti drosto fo, cofia . . .'

'Mae gen i biti dros ei fam a Mared. Rhaid fod y ddwy wedi dioddef llawer ar ôl iddo farw . . .'

'Dyna pam oedd o am i ti fynd i'r hen eglwys, Mali. Yn y fan honno roedd o wedi marw,' meddwn i.

'Ie, mae'n siŵr,' oedd ateb Mali. 'Ond pam fod o eisiau rhoi'r bai ar Mared os mai damwain oedd hi? Wnaeth hi golli arni hi'i hun a'i wthio neu rywbeth?'

'Rhaid i ni ofyn iddo fo y tro nesaf . . .' dywedais yn ddifeddwl.

'Bydd . . . heno,' oedd ateb pendant Mali.

Roeddwn i'n difaru i mi ddweud y fath beth.

'Rhaid i ni edrych ar hanes y cynhebrwng,' oedd awgrym Mali. 'Hwyrach y bydd enwau ei berthnasau yno.'

Ond er chwilio a chwilio doedd dim golwg o'r hanes.

'Beth am chwilio am gofnod o gynhebrwng Mared,' awgrymais. Roedd yn amlwg fod hynny wedi plesio Mali, a'i brawd bach wedi dweud rhywbeth call am unwaith.

Tra oedd y llyfrgellydd, druan, yn cario un llyfr anferth yn ôl i'w le a chwilio am un arall i ni, aeth y ddau ohonom i edrych ar hen fapiau o'r ardal oedd yn hongian ar y waliau.

'Chwilia am Tyddyn Bach, Rhys,' oedd awgrym Mali.

'Ie, mi fyddai'n dda cael gwybod yn union lle roedd o'n byw,' cytunais.

Wedi edrych ac edrych, o'r diwedd dyma fi'n dod o hyd i'r lle. Roedd o wrth groesffordd yn ymyl tafarn y Llew Gwyn.

'Edrych, Mali, dyma fo i ti.'

Daeth Mali draw i edrych ar y map. Yna clywais hi'n cymryd anadl sydyn.

'Be sy?' holais.

'Rhys . . .' meddai a'i llais yn crynu, 'pa adeilad sy dros y ffordd i Bro Gerwyn, ein stad ni?'

'Y Llew Gwyn.'

'Yn hollol,' meddai Mali, ei llygaid yn fawr gan ryw gymysgedd o ofn a chwilfrydedd. 'Mae tai Bro Gerwyn wedi eu codi ar dir Tyddyn Bach. 'Dan ni'n byw ar yr union fan lle roedd cartref Owen Pritchard.'

Aeth rhyw gryndod oer i lawr fy ngefn i ac mi faswn i wedi rhedeg o'r llyfrgell nerth fy nhraed heblaw fod y llyfr anferth yn cynnwys papurau newydd 1908 wedi cyrraedd a bod rhaid i ni gael gwybod mwy am hanes teulu Owen Pritchard. 'Mai 13 . . . tro at yr wythnos ganlynol,' oedd awgrym Mali. 'Dyma fo, ar waelod y dudalen fan yma.'

> Daeth nifer luosog o berthnasau a chyfeillion ynghyd i dalu'r deyrnged olaf i Miss Mared Pritchard, Bronllan, brynhawn ddydd Llun diwethaf, Mai 18. Fe'i claddwyd ym mynwent Llangerwyn ym medd y teulu. Roedd ei thad, William Owen Pritchard, yn ffermio Tyddyn Bach cyn ei farw'n gynamserol yn 38 oed. Bu farw ei brawd, Owen, drwy ddamwain pan oedd yn 14 ac ni fu ei mam, Marged, fyw ond ychydig flynyddoedd wedi hynny. A hithau'n ifanc aeth Miss Pritchard i fyw i Lundain at ei hewythr, brawd ei mam, y masnachwr

> llwyddiannus, Hopkin Edwards. Bu'n cadw tŷ iddo am flynyddoedd ond daeth yn ôl i Langerwyn wedi iddo farw. Roedd Miss Pritchard yn berson amlwg yn y gymdeithas, yn flaenor yng nghapel Salem ac yn aelod ffyddlon a gweithgar yno. Wedi iddi werthu ei hen gartref, Tyddyn Bach, bu'n hael iawn i achosion da yn lleol. Bydd colled i'r gymdeithas gyfan ar ei hôl. Estynnwn ein cydymdeimlad llwyraf i'w nith a'i nai, Mrs Olga Lloyd, Southampton a Mr Handel Hopkin Edwards, Llundain, a'u teuluoedd.

'Hwyrach mai hi dalodd am y garreg fedd,' oedd sylw Mali.

'Ie, gwneud yn iawn am ei wthio o ben y tŵr hwyrach,' atebais.

Edrychodd Mali'n hir arna i cyn ateb, 'Bydd rhaid i ni ofyn iddi hi yn bydd.'

Dyna pryd y sylweddolais i fod Mali'n gwbl o ddifri. Roedd bywydau'r brawd a'r chwaer yna o'r gorffennol yn cael effaith arnon ni, yn gwneud i ni wneud pethau od, pethau gwahanol iawn i'r hyn roedd plant eraill yn eu gwneud. Doeddwn i ddim yn hapus efo'r peth. Ar y ffordd adre mentrais ddweud beth oedd ar fy meddwl.

'Mali, wyt ti'n credu ein bod ni'n gwneud peth call, yn ceisio siarad â'r meirw fel hyn? Jyst ti a fi? Beth am i ni gael y lleill i fod yno hefyd. Mi faswn i'n teimlo'n well rywsut . . .'

'Na, Rhys. Dwi ddim am i neb wybod be sy'n mynd ymlaen neu mi fydd pawb yn siarad yn yr ysgol. Dwi ddim eisiau i bobl feddwl 'mod i'n od. Rwyt ti'n gwybod pa mor greulon mae rhai plant yn medru bod. Wyt ti'n cofio pa mor anodd oedd hi pan aeth Dad i'r carchar? Dwi ddim eisiau mynd drwy hynny eto. P'run bynnag, dwi wedi dweud wrth y merched ein bod ni wedi rhoi'r hen beth yn y bin sbwriel. Mae hynny'n wir, yn tydy?'

'Ydy . . . ond nid y gwir i gyd,' oedd fy ateb i.

Doeddwn i ddim yn edrych ymlaen at weld yr hen fwrdd *ouija* 'na eto, ond serch hynny, roedd geiriau Mali'n gwneud synnwyr. A dweud y gwir roeddwn i'n dechrau poeni amdani. Beth petai'r holl beth yn mynd yn drech na ni? Mi ddylwn i ddweud rhywbeth wrth rywun ond wyddwn i ddim at pwy i droi.

Doedd Mali wedi gwastraffu dim amser ar ôl i ni gyrraedd adre cyn cael popeth yn barod.

'Oes 'na rywun yna?' meddai, fel arfer. Rhuthrodd y trydydd gwydr i ni ei ddefnyddio fel peth gwirion o un pen o'r bwrdd i'r llall.

'O . . . W . . . E . . . N. Wnest ti ddim dod ar dy ben dy hun, Mared. Rwy'n flin iawn.'

'Nid Mared ydw i, ond Mali.' Ceisiodd Mali ei ateb mor dawel â phosib ond roedd hi wedi dychryn; mi fedrwn i ddweud hynny wrth yr olwg wyllt yn ei llygaid hi.

'Ie, Mared fy chwaer gas i. Pam wnest di werthu Tyddyn Bach?'

'Mali ydw i. Dwi ddim yn chwaer i ti.'

'Mared wyt ti. Ateb fi. Pam wnest di werthu Tyddyn Bach? Does gen i ddim cartref nawr. Maen nhw wedi tynnu'r tŷ i lawr. Mae 'na dai newydd yno a phobl ddieithr yn byw yno.'

Roedd hi'n amlwg fod Owen yn gwybod beth oedd wedi digwydd i'w hen gartref. Rhaid ei fod o'n ysbryd go iawn felly. Yn anffodus, roedd o'n ysbryd ystyfnig hefyd. Wnâi o ddim gwrando ar Mali druan.

'Owen—rwy'n gwybod dy fod ti'n dweud y gwir ond nid Mared ydw i ond Mali. Mae gen i frawd—Rhys. Mae o yma efo fi. 'Dan ni'n byw yn un o'r tai newydd sy wedi eu codi ar dir Tyddyn Bach.'

'Celwydd! Celwydd! Mared wyt ti. Yr hen Fared gas. Wnest di fy ngwthio i o'r tŵr. Mi gei di dalu am hynny. Fe gei di ddioddef yn *ofnadwy* . . .'

Clep! Caeodd drws y ffrynt.

'Mali! Rhys! Dach chi yma?'

'Rhaid i ni fynd, Owen,' meddai Mali.

Gafaelodd yn y gwydr a gwthiodd y bwrdd *ouija* o dan y gwely. Yr eiliad honno roedd 'na glec anferth. Wyddwn i ddim yn lle. Yna clywodd y ddau ohonom ni sŵn gwydr yn malu'n deilchion. Agorodd drws y llofft. Roedd Mam yn sefyll yno a golwg wyllt arni.

'Beth gythraul oedd hwnna?' holodd a golwg ofnus yn ei llygaid. Aeth y tri ohonom i ben y landin ac edrych i lawr i'r cyntedd. Roedd y drych â ffrâm aur roedd Mam wedi ei gael yn anrheg gan Nain wedi syrthio oddi ar y mur a'r gwydr a'r ffrâm wedi malu'n deilchion.

'Sut ddigwyddodd hynna?' holodd Mam gan edrych ar y ddau ohonom ni.

'Nid ni wnaeth o,' meddwn i. 'Roedd y ddau ohonon ni yma yn y llofft. Fe welaist ti ni.'

'Do,' oedd ateb Mali. 'Efallai dy fod ti wedi cau drws y ffrynt braidd yn galed, Mam.'

'Paid â meiddio fy ateb i yn ôl, Mali! Dewch i lawr y funud yma. Rhaid clirio'r llanast. A dwi eisiau gair efo chi'ch dau. Mae rhywbeth od iawn wedi bod yn digwydd yma!'

‘Edrychwch ar hwn. Mi ddaeth y bore ’ma ar ôl i chi’ch dau fynd i’r ysgol.’

Dangosodd Mam y bil trydan i ni. Roedd o’n anghredadwy. Dwy fil pum cant o bunnau am y tri mis diwethaf. Doedd y peth ddim yn bosib.

‘Wn i ddim be dach chi wedi bod yn ei wneud tra ’mod i’n gweithio’n hwyr ond mae’n tŷ ni’n llyncu cymaint o drydan â ffatri! Dydy’r peth ddim yn gwneud unrhyw fath o synnwyr. Rhaid bod yna eglurhad yn rhywle ond wn i ddim ble i ddechrau chwilio. Atebwch fi—yn lle sefyll yn fan’na fel dau lo!’

Bu bron i mi frefu ond roedd yr olwg wyllt ar Mam yn ddigon i wneud i mi gallio. Mi wyddwn i’n iawn mai slap go galed fyddai hi pe bawn i’n bod yn wirion.

‘Rhaid i ti ffonio’r dynion trydan, Mam. Rhaid bod rhywbeth yn bod ar y mesurydd,’ oedd ateb doeth Mali.

‘Dwi wedi eu ffonio nhw’n barod ac maen nhw’n dod yma fory i’w newid o. Yr holl drafferth yma a’ch tad ddim adre i’n helpu ni . . .’ Dechreuodd Mam grio. Fydd hi byth yn crio fel arfer. Mae’n gymeriad reit gadarn ond roedd pethau wedi mynd yn drech na hi. Rhoddodd Mali ei braich am ei hysgwyddau tenau.

'Paid â chrio, Mam fach. Rhaid bod rhyw esboniad.'

Cododd Mali gudyn o'r gwallt du cyrliog oedd wedi mynd ar draws ei boch gwlyb.

'O Mali, rwyt ti'n werth y byd!' meddai Mam a phlannu ei hwyneb yn ysgwydd Mali a chrio'n waeth. Fedrwn i ddal dim mwy. Mi es i allan i'r cyntedd a dechrau clirio'r llanast.

Daeth y dyn i newid y mesurydd yn gynnar iawn y bore wedyn.

'Mae hwn yn un arbennig, Mrs Roberts,' meddai. 'Mi fydd hwn yn recordio'n union pryd mae'r holl drydan yn cael ei ddefnyddio ac o le yn y tŷ mae'r pŵer yn cael ei dynnu. Wedyn gallwn ni weld yn union beth sy'n bod.'

Ar y ffordd i'r ysgol ces gyfle i gael sgwrs efo Mali. 'Wyt ti'n credu mai Owen sy'n gyfrifol am ddefnyddio'r holl drydan yna?' holais mor ddidaro â phosib.

'Efallai. Roedd y merched yn siarad am ryw stori ysbryd roedden nhw wedi bod yn ei darllen ychydig yn ôl ac roedd rhywbeth tebyg yn digwydd yno. Rhywun yn byw yn y tŷ oedd ffocws yr holl beth.'

'Ti ydy honno, Mali. Mae o am dy waed di. Mi fase'n well i ni ddweud wrth Mam cyn . . .'

'Paid ti â meiddio! Dydy hi ddim yn ddigon

cryf i ddal y peth. Ddim ar hyn o bryd beth bynnag. Rhaid i mi gael amser i feddwl.'

A dyma'r merched a Gwion yn dod i'n cyfarfod a doedd dim gobaith cael sgwrs gall wedyn.

Doedd gen i ddim syniad faint o'r gloch oedd hi. Roedd hi'n dywyll ac yn sicr yn rhy fuan i godi, ond roedd rhywbeth wedi fy neffro i; sŵn canu o rywle. Rhywun wedi meddwi yn y Llew Gwyn ac yn cerdded adre, meddyliais wrth benderfynu mynd yn ôl i gysgu. Ond dyna'r sŵn eto; nid o'r stryd roedd o'n dod ond o'r stafell fyw. Roedd y sŵn yn y stafell oddi tana i. Llais bachgen yn canu oedd o ond fedrwn i ddim adnabod y gân. Roedd hi'n araf, fel emyn, meddyliais. Doedd dim posib i mi fynd 'nôl i gysgu. Rhaid oedd codi a mynd i lawr i weld beth oedd yno gan mai fi oedd dyn y tŷ. Wrth groesi'r landin arhosais wrth ddrws Mali. Doedd dim siw na miw i'w glywed. Rhaid ei bod hi'n cysgu. Diolch byth, meddyliais.

Yn dawel, ris wrth ris, es i lawr i'r cyntedd. Roedd hi'n oer yn y fan honno—yn llawer oerach nag arfer, sylwais. Roedd iasau o wynt oer i'w teimlo o gwmpas fy nghefn ond doedd yr un drws na ffenest ar agor yn unman. A dyna'r canu yna eto. Llais uchel, tyner, yn canu emyn yn araf fel petai mewn gwasanaeth angladd . . .

Wrth i mi sefyll yno agorodd drws y stafell fyw yn araf bach. Mi welais y drws yn agor ar ei ben ei hun â'm llygaid fy hun. Doedd 'na neb ar ei gyfyl ond roedd o'n agor yn raddol. Cymerais ddau gam i mewn i'r stafell. Roedd y llais yn dal i ganu ond yn ddistawach erbyn hyn. Doeddwn i ddim yn credu beth oedd yn digwydd.

'Oes 'na rywun yna?' gwaeddais gan roi cic i'r drws nes bod hwnnw'n taro'r wal oedd tu cefn iddo. Rhoddais fy llaw ar y swits golau ac aeth fflach las drwy'r stafell. Dim ond am eiliad ddaru o bara ond mi welais i *o*—Owen—yn sefyll yng nghanol y stafell. Doedd o ddim yn edrych yn wahanol i unrhyw fachgen arall ond ei fod o'n gwisgo cap o frethyn llwyd ar ei ben. Crys gwlanen golau a throwsus brown oedd ganddo a sgidiau hoelion mawr. Yn raddol aeth Owen yn llai eglur yna diflannodd. Ond roedd sŵn chwerthin yn rhywle uwch fy mhen i—rhyw chwerthin annifyr, bygythiol. Mi faswn i'n crynu yn fy 'sgidiau 'taswn i'n gwisgo rhai. Rhoddais fy llaw ar y swits golau unwaith eto. Clywais goblyn o glec ond goleuodd y stafell.

Roeddwn i'n difaru i mi wneud yr eiliad honno. Roedd golwg ofnadwy ar y lle—y llenni wedi eu rhwygo, y cadeiriau a'r soffa wedi eu troi drosodd, tapiau fideo ym mhob man a thwll mawr yn sgrin y teledu, ond y peth a'm dychrynnodd fwyaf oedd yr ysgrifen mewn paent coch fel gwaed ar draws un wal:

Rhaid cael gwared â Mared!

‘Sut yn y byd ydw i’n mynd i esbonio hyn i Mam?’ meddwn i’n uchel.

‘Ie wir—mae’n hen bryd i mi gael esboniad ar beth sy’n mynd ymlaen yma!’ meddai llais blin y tu ôl i mi ac mi wyddwn y byddai’n rhaid iddi glywed yr holl stori.

8

'Wel! Dwi'n aros!'

'Mae'n stori hir, Mam.'

Roedd y ddau ohonom yn eistedd wrth fwrdd y gegin ac yn edrych i ddyfnder paned o de. Fedrai Mam ddim wynebu'r peth heb baned.

'Wyt ti'n cofio pobl drws nesaf ond un yn symud allan, wel . . .' a dechreuais adrodd yr holl hanes wrthi heb adael dim allan. Roedd ei llygaid hi'n mynd yn fwy a mwy a'i bochau'n gwelwi wrth glywed yr hanes.

'Wyt ti'n meddwl dweud wrtha i mai ysbryd bachgen fu farw ymhell dros ganrif yn ôl yn *eighteen fifty* rhywbeth sy'n symud y dodrefn a sgrifennu ar y waliau heb sôn am lyncu'r holl drydan yna?'

'Ydw.'

'Chlywais i 'rioed y fath lol! Fedra i ddim coelio'r peth. Na fedra wir!'

Yr eiliad honno cododd y basn siwgwr i'r awyr a symud uwchben y bwrdd. Teithiodd ar draws y gegin a gwagio'i gynnwys yn daclus i'r sinc.

'AAAAAA!'

Dechreuodd Mam feichio crio. Roedd y peth wedi mynd tu hwnt i jôc.

'Mam! Mam! Paid â bod ofn. Dim ond Owen ydy o.' Wnaeth Mam ddim byd ond sgrechian yn uwch.

'Mam—mi fyddi di wedi deffro'r holl stryd efo dy sŵn!' gwaeddais arni. Erbyn hyn roeddwn i wedi dychryn hefyd. Beth petai Mam yn mynd yn wallgo? Beth fyddai'n digwydd i Mali a fi wedyn?

Fel ateb i'r cwestiwn agorodd drws y gegin. Roedd Mali'n sefyll yno a golwg gysglyd arni.

'Beth sy'n bod? Mam? Pam wyt ti'n crio a gweiddi?'

'Ti—dyna beth sy'n bod. Ti sy wedi dod â'r hen beth yna o'r sgip i fewn i'r tŷ. Rwyt ti wedi gwneud peth gwirion a pheryglus iawn, Mali. Os nad wyt ti'n fy nghredu i dos i'r stafell fyw i ti gael gweld y llanast sy yna.'

Aeth Mali allan o'r stafell a daeth yn ôl ar ei hunion.

'Pa lanast?'

Cododd Mam yn syth a mynd allan drwy ddrws y gegin. Dilynais hi i'r stafell fyw.

Doeddwn i ddim yn gallu credu'r peth—roedd popeth yn ôl yn ei le a dim golwg o'r ysgrifen ar y wal. Edrychodd Mam a minnau ar ein gilydd mewn braw. Doedd y peth ddim yn bosib, ond eto roedden ni wedi ei weld.

'Dos yn ôl i dy wely, Mali fach. Fe gawn ni sgwrs am hyn yn y bore.'

Yn hanner cysgu aeth Mali i'w gwely ond

arhosodd Mam a finnau yn y gegin. Roedd hi'n fwy tawel erbyn hyn.

'Beth am i ni fynd i edrych ar y mesurydd trydan?' awgrymais.

'Edrych di,' meddai Mam. 'Mae gormod o ofn arna i.'

Es at y mesurydd ac yn siŵr i chi roedd y peiriant yn dangos fod llawer iawn o drydan wedi ei ddefnyddio yn ystod y nos. Owen oedd yn gyfrifol, doedd gen i ddim amheuaeth am hynny.

'Mae o'n dangos fod rhywbeth rhyfedd wedi digwydd yma heno,' meddwn i'n ddidaro, ond doedd Mam ddim yn gwrando, roedd hi'n chwilio am rywbeth yn y twll dan grisiau. Daeth â bocs allan ac o'i waelod cododd lyfr mawr du.

'Beibl Nain,' meddai a golwg ryfedd arni. Agorodd y Beibl ar fwrdd y gegin.

'Chwilia am y salm "Yr Arglwydd yw fy mugail",' meddai. Roedd hi'n edrych wedi ymlâdd. Ar ddechrau'r llyfr roedd rhestr y cynnwys ac ymhen dim roeddwn i wedi dod o hyd i lyfr y Salmau.

'Pa un?' holais. Roedd 'na ddegau ohonyn nhw yn y llyfr.

'Dau ddeg tri.'

Roedd hi'n iawn hefyd.

'Darllen hi allan yn uchel, wnei di.'

Cyn i mi ddarllen ond adnod neu ddwy o'r salm roedd Mam yn cyd-adrodd y geiriau efo mi. Wedi i mi orffen meddai, 'Roeddwn i'n arfer adrodd y salm yna yn yr Ysgol Sul erstalwm. Mi fyddai'n well pe bawn i wedi dy anfon di a Mali yno hefyd . . .' Dechreuodd grio eto.

Roeddwn i wedi cael hen ddigon erbyn hyn. 'Dwi'n mynd i'r gwely, Mam,' meddwn i.

'Paid â 'ngadael i yma, cariad,' llefodd a gafael ynof i.

Dringodd y ddau ohonom y grisiau braich ym mraich. Roeddwn i'n rhy fawr i gael mwythau gan Mam, a doedd hi ddim yn un i ddangos ei theimladau fel arfer, ond heno roedd rhywbeth yn ein bygwth ni, rhywbeth na fedren ni mo'i ddeall. Ac roedd un peth yn siŵr, mi fyddai'n rhaid i ni wynebu'r peth efo'n gilydd.

'Mi fydd popeth yn iawn Mam, paid â phoeni. Beth bynnag ddaw mi fydda i yma. Mi wna i edrych ar dy ôl di.'

'O Rhys bach, rwyt ti'n werth y byd!' meddai a phlannu clamp o gusan ar fy nhalcen i.

Wn i ddim sut es i'n ôl i gysgu y noson honno ond rhywdro wedi iddi ddyddio mi ges i freuddwyd rhyfedd. Roeddwn i'n sefyll ar ganol cae a choeden fawr yn tyfu yno. Wyddwn i ddim pam oeddwn i yno ond roedd bachgen yn cerdded y tu ôl i mi.

'Edrych ar y goeden,' meddai, a dyma fi'n edrych. Roedd rhywbeth gwyn rhwng y canghennau. Dechreuodd y bachgen chwerthin a chwerthin a phwyntio at y goeden. Yna mi welais i pam. Roedd merch yn crogi ar raff oddi ar un o'r canghennau. Fedrwn i ddim gweld ei hwyneb ond doedd dim rhaid. Mi wyddwn i mai Mali ni oedd hi.

Yna mi glywais sgrech. Nid sgrech yn y freuddwyd ond sgrech go iawn. Neidiais allan o'r gwely a rhedeg i lawr y grisiau. Yno roedd Mam yn sefyll wrth ddrws y gegin yn edrych yn wirion ar y rhewgell. Roedd y drws ar agor a phopeth oedd ynddi wedi ei daflu allan, y plwg wedi ei dynnu o'r wal a phwll mawr o ddŵr ar y llawr . . .

'Be wnawn ni, Rhys?' holodd Mam gan ochneidio'n drwm.

'Mae'r holl fwyd yma wedi'i wastraffu. Sut fath o ysbryd fedrai wneud pethau fel hyn? Sut fedr o agor rhewgell a thaflu popeth allan a thynnu'r plwg o'r wal os nad oes ganddo fo ddwylo? Pam mae o'n gwneud hyn i ni?'

'Mae o'n meddwl mai Mared, ei chwaer, ydy Mali, ac mae o'n rhoi'r bai arni hi am ei fod o wedi syrthio i'w farwolaeth o ben tŵr yr eglwys. Hefyd mae'r stad yma o dai wedi ei hadeiladu ar dir ei hen gartref . . .'

'Wna i ddim dioddef eiliad yn rhagor,' meddai Mam. 'Mae'n rhaid i Mali fynd i aros at Nain. Fe all hi ddal y bws i'r ysgol yn iawn o'r fan honno ac mi a' i draw i'w gweld hi pan fedra i. Mae gen i ofn y gallai pethau fynd o ddrwg i waeth os bydd hi'n aros yma.'

'Wna i ddim mynd!' oedd adwaith Mali i awgrym Mam ei bod hi'n mynd i aros at Nain. 'Fedrwch chi ddim fy ngyrru i ffwrdd. Fy nghartre i ydy hwn!'

Roedd Mali wedi dod ymlaen yn dda efo Nain erioed, yn wir *hi* oedd y ffefryn, mi wyddwn i hynny. Wedi'r cyfan, roedd hi wedi cael ei henwi yn Mali Gwen ar ôl Nain ac roedd hynny wedi plesio o'r cychwyn cyntaf. Byddai'n arfer mynd i aros yno am wythnosau yn ystod gwyliau'r haf pan oedd hi'n iau a Nain yn dipyn cryfach nag oedd hi nawr. Wrth wrando arni hi a Mam yn dadlau bron na fyddwn yn tyngu nad Mali oedd yn siarad ond rhyw berson arall. Roedd hi'n swnio'n henffasiwn, fel rhywun o'r oes o'r blaen.

'Mae'n rhaid i ti fynd!' gwaeddodd Mam.

'Nag oes!'

Edrychodd Mam a fi ar ein gilydd mewn braw. Roedd llais Mali wedi newid. Roedd o'n swnio'n ddwfn iawn i ferch. Tybed ai llais *Mared* oedd o?

'Mi ges i fy ngyrru ymaith o'r blaen ond dwi yma i aros am byth y tro hwn!'

Na, nid Mared oedd yno, yn bendant llais bachgen oedd yn siarad. Edrychais ar wyneb Mali ac roedd o'n edrych yn wahanol, y trwyn yn hirach a'r ên yn gryfach ac roedd golwg ryfedd iawn yn ei llygaid. Gallwn weld o'r edrychiad ar wyneb Mam ei bod hithau wedi sylwi ar y newid hefyd. Ond mentrodd Mam gamu ati i'w chofleidio.

'Mali!' gwaeddodd gan aros yn sydyn fel pe bai wedi cael sioc drydanol. Nid Mali ni oedd hon ond rhywun hollol ddieithr.

'Pwy wyt ti?' holodd Mam, a'i llais yn crynu.

'Owen Pritchard, Tyddyn Bach. Dwi wedi cael fy nghwahodd yma, ac yma dwi am aros . . .'

'Ond fedri di ddim aros yma,' meddwn i. 'Rwyt ti wedi marw. Rhaid i ti fynd yn ôl i fyd yr ysbrydion . . .'

'Na wna! Byth!'

Yr eiliad nesaf roedd Mali wedi neidio am fy nghorn gwddw ac yn dechrau gwasgu'r anadl ohona i. Fedrwn i ddweud dim. Ceisiais afael ym mreichiau Mali ond roedd hi'n gryf fel ceffyl. Roeddwn i eisiau ei tharo yn ei stumog â'm dwrn ond fedrwn i ddim. Yn raddol roedd popeth yn mynd yn dywyll a minnau'n llithro'n araf i ryw bwll mawr du. Pan welodd Mam 'mod i mewn perygl o lewygu taflodd lond jwg o ddŵr oer am ben Mali a bu'r sioc yn ddigon i wneud iddi ddod ati ei hun. Fi gafodd yr ail jygiad ond, a dweud y gwir, wnes i mo'i theimlo hi. Roedd y llawr yn teimlo mor feddal â'r hen wely plu oedd gan Nain erstalwm, a'r dŵr oer yn gynnes braf.

Mam druan, wyddai hi ddim at ba un ohonom i droi gyntaf. Gallwn gofio'n glir bod Mali'n beichio crio dros bob man.

'Mam! Mam! Be dwi wedi'i wneud i Rhys!' Roedd hi'n sgrechian mewn ofn.

'Bydd Rhys yn iawn, Mali fach. Edrych, mae o'n dechrau dod ato'i hun . . .'

Mali fach, wir! Minnau'n hanner marw ar lawr a hithau'n rhoi mwythau i Mali! Ond chwarae teg i Mali, roedd hi wedi bod trwy brofiad rhyfedd iawn —ysbryd yn siarad trwyddi a hithau'n colli pob reolaeth arni ei hun ac yn ceisio fy nhagu i, ei brawd.

'Diolch byth ei bod hi'n ddydd Sadwrn,' meddai Mam, gan ddod â phopeth yn ôl yn *normal* unwaith eto. 'Rhys, dos i dy wely. Chysgaist ti fawr neithiwr. Mi wnaiff les i ti gael 'chydig oriau yn fwy o gwsg.'

Doeddwn i ddim am ddadlau. Roeddwn i wedi cael cryn ysgytwad a dweud y gwir ac ro'n i'n ofni beth allai Mali—neu yn hytrach yr hen Owen 'na yng nghorff a meddwl Mali—ei wneud nesaf. Es i'r llofft a chau'r drws, yna tynnais y gist cadw gêmau sy gen i ar ei draws. Doeddwn i ddim am i Mali ddod i mewn tra oeddwn yn cysgu, rhag ofn iddi gael mwy o syniadau gwirion a cheisio gwneud jobyn iawn o'n lladd y tro yma!

Pan ddeffrais doedd gen i ddim syniad ble roeddwn i, pa ddiwrnod oedd hi na faint o'r gloch oedd hi. Gorweddais yno yn edrych allan drwy'r ffenest. Roedd hi'n bwrw glaw a phobman yn llwyd a diflas. Pam oedd rhaid i'r tywydd fod fel hyn? Yn aml byddai'r tywydd yn ddiflas ar benwythnos ac yna'n braf brynhawn Llun a phob dydd arall o'r wythnos a ninnau'n gorfod aros i mewn mewn rhyw hen ysgol fwll yn ceisio gwrando ar athro ar ôl athro yn siarad yn ddi-stop am oriau bob dydd. Doedd ryfedd fod plant yn cambihafio! Pa oedolyn yn ei iawn bwyll fyddai'n gallu dioddef y fath beth!

Roeddwn i mor brysur yn teimlo'n flin drosof fi fy hun a phob plentyn ysgol arall nes i mi beidio â sylwi ar sŵn y lleisiau oedd yn dod o'r stafell fyw i ddechrau. Llais Mam oedd un ond llais dyn oedd y llall—llais nad oedd yn gyfarwydd i mi. Yn araf bach es i lawr y grisiau a cheisio gwrando ar yr hyn oedd yn cael ei ddweud.

'Fedra i ddim mynd ymlaen eiliad yn rhagor, Mr Edwards. Mae arna i ofn bod yn y tŷ 'ma ar fy mhen fy hun gyda'r plant, oes wir. Dwi wedi awgrymu i Mali y gallai hi fynd i aros efo'i nain am gyfnod ond fe ges i'r fath araith ganddi hi—wel ganddo fo, yr ysbryd—yn dweud na fyddai neb yn gallu ei ddanfon *o* i ffwrdd. Be wna i, Mr Edwards bach? Fedrwch chi awgrymu rhywbeth?'

'Medra, mi fedra i. Gwrandwch, dwi am fynd draw i'r eglwys am ychydig ond mi ddo i'n ôl heno a dod â ffrind efo fi. Efallai y cawn ni ddiwedd ar yr holl helbul yma am byth. Rhaid trio mynd at wraidd y broblem cyn i'r papurau newydd gael gafael ar y stori. Fyddech chi ddim eisiau i hynny ddigwydd, na fyddech mae'n debyg?'

'Na fyddwn, wir. Dyna'r peth olaf dwi eisiau.'

Agorodd drws y stafell fyw a symudais innau'n gyflym i ben y landin.

'Bydd popeth yn iawn, Mrs Roberts fach, peidiwch â phoeni. Mi fydda i yma tua saith heno.'

'Diolch o galon, Mr Edwards.'

O ffenest fy llofft gwyliais y ficer yn cerdded i lawr llwybr yr ardd ac i'w gar oedd wedi ei barcio ar y stryd o flaen y tŷ. Dyn tal, tenau â gwallt du yn dechrau britho oedd o. Roedd ganddo drwyn cam. A dweud y gwir edrychai fel brân yn ei got ddu—rhyw aderyn anffodus oedd yn gwneud i rywun deimlo'n ddigalon wrth edrych arno.

Sylwais fod mwy nag un cyrten net yn y tai gyferbyn wedi symud fodfedd neu ddwy wrth iddo yrru i ffwrdd. Mewn eiliad arall roedd sawl drws ffrynt wedi agor a dwy neu dair dynes fusneslyd yn clebran pymtheg y dwsin ar gornel y stryd. Roedd pobl yn dechrau amau fod pethau rhyfedd yn digwydd yn tŷ ni, roedd hynny'n amlwg.

Dim ond mater o amser fyddai hi cyn i'r papurau newydd glywed am yr helynt a beth fyddai gan y criw yn yr ysgol i'w ddweud wedyn? Gallwn eu clywed yn galw ar fy ôl i y funud honno, 'Rhys Tŷ Bwgan! Rhys Tŷ Bwgan!'

'Rhys?'

'Be?'

'Faint o'r sgwrs 'na glywest ti ?'

'Digon i wybod 'i fod o'n dod yn ei ôl heno ac

yn dod â rhywun arall efo fo,' meddwn wrth gerdded i lawr y grisiau.

'Ydy. Dwi *yn* gobeithio y gall o ein helpu ni, ydw wir.'

'Ond beth all y ficer ei wneud? Ydy o'n medru cael gwared ar ysbrydion?' meddwn i. Doeddwn i ddim yn meddwl llawer o'r hen ddyn, mae'n rhaid i mi gyfaddef. Roedd o'n arfer gweiddi arnon ni i gadw draw o'r fynwent pan oedden ni'n chwarae cuddio erstalwm. Roeddwn i'n rhyw hanner cofio iddo fod yn gas iawn efo Gwion un tro pan falwyd un o'r ffenestri lliw. Roedd un o'r bechgyn mawr wedi bod yn defnyddio gwn aer ond *ni* gafodd y bai am ein bod ni yno yr union eiliad y saethwyd drwy'r ffenest. Doedd gen i fawr o ffydd ynddo fo. I mi, hen ddyn diflas oedd o, yn deall dim ac yn gwneud llai fyth.

'Ble mae Mali?' gofynnais er mwyn troi'r stori.

'Yn cysgu, gobeithio. Dwi ddim am iddi wybod fod neb yn dod yma heno. Mae am fynd i dŷ Mari i aros dros nos heno gan fod ei mam wedi gwahodd y merched i gyd i fynd yno i wylio fideo a chael sglodion o'r siop. Mae'n ddigon agos i ben-blwydd Mari iddyn nhw gael rhyw ddathliad bach.'

'Dwi am fod yma, beth bynnag, Mam.'

Dwi ddim yn fabi mam na dim byd felly, a fedra i ddim diodde swsys a charu mawr, ond rhywsut roedd gen i biti calon drosti. Roedd hi ar ben ei thennyn, fel y dywedodd hi wrth y ficer. Es ati a rhoi fy mraich am ei hysgwydd a'i gwasgu'n dynn.

'Mi fydda i yma gyda ti, Mam fach. Paid â phoeni, bydd popeth yn iawn.'

'O Rhys! Rwyt ti'n werth y byd!'

Pan welais y dagrau'n dod i'w llygaid mi es i deimlo'n annifyr reit, felly gafaelais yn fy mhêl-droed a rhedeg allan i'r ardd fel petai'r tŷ ar dân . . .

Rhyw ddyn go ryfedd oedd hwn ddaeth efo'r ficer, dyn bach byr, boliog â fawr o wallt ar ei ben. Roedd o'n gwisgo sbectol anferth oedd yn bygwth llithro i lawr ei drwyn tew bob gafael. Bob hyn a hyn byddai'n crychu ei drwyn a gwthio'r sbectol yn nes at ei lygaid ac yn craffu trwyddi fel petai rhyw ryfeddod mawr i'w weld. Ond y siom fwyaf ges i ynddo oedd pan agorodd ei geg. Roedd ganddo'r llais meinaf a glywais erioed. Doedd o fawr uwch na gwich llygoden a honno wedi ei dal mewn trap. Eisteddai yn ymyl y ficer ar y soffa fel pe bai arno ofn ei gysgod. Pwy bynnag oedd o doedd gen i fawr o ffydd y gallai *o* gael gwared ar ysbryd Owen.

'Gawn ni air o weddi ar ddechrau'r gwasanaeth,' meddai'r ficer gan blygu ei ben a darllen o lyfr bach oedd ganddo. Roeddwn i bron marw eisiau chwerthin ond rhywsut llwyddais i beidio. Roedd yn rhaid i mi feddwl am Mam druan.

'Arglwydd, bydd yn bresennol yr awr hon yn y fangre hon. Pâr i dy nerth ein hamddiffyn o bob drwg a chadw ni'n ddiogel yn dy law, yn enw Crist yr Arglwydd, yr hwn a orchmynnodd i'r ysbrydion aflan ufuddhau iddo, Amen.'

'Mae gan Mr Johnson fan yma gryn brofiad o ddelio ag ysbrydion cythryblus, Mrs Roberts. Dydy o ddim yn siarad Cymraeg ond mae o'n gwybod beth sy angen ei wneud. *Are you ready, Frank?*'

Nodiodd yr hen ddyn bach a dechreuodd siarad yn ei lais gwichlyd . . .

'*I command thee in the name of God . . .*'

Ar yr un pryd yn union roedd y ficer yn adrodd y geiriau yn Gymraeg.

'Rwyf yn gorchymyn i ti yn enw Duw, barnwr y byw a'r meirw, Creawdwr y byd, sydd â'r gallu i daflu eneidiau i uffern, i ymadael â'r tŷ hwn. Dychwel i'r lle y daethost ohono a phaid ag amharu ar y sawl sy'n byw yn y tŷ hwn byth mwy.'

Wedyn fe gododd ac agor potel o ddŵr sanctaidd. Tywalltodd ychydig ohono ar frwsh bach a'i ysgwyd ym mhob cornel o'r stafell fyw. Aeth i'r gegin, y cyntedd, ar y grisiau, y stafell ymolchi, llofft Mam a fy llofft i ac ailadrodd y geiriau bob tro. Yna aeth i lofft Mali a'r hen ddyn bach yn dynn wrth ei sodlau.

'*I can feel a very strong evil presence here . . .*' meddai yn ei lais gwichlyd.

Yr eiliad honno agorodd drws llofft Mali fel pe bai corwynt yn mynd drwy'r tŷ. Cyn i neb fedru dweud gair dechreuodd pob math o bethau chwyrlïo drwy'r awyr tuag at y ddau, llyfrau o bob maint, tapiau, rhyw botiau bach, dillad, esgidiau—popeth oedd yn rhydd yn y stafell. Yna, yn goron ar y cwbl mi welais i'r bwrdd *ouija* yn taranu tuag atynt.

'*Beware, John! It's the Devil's instrument . . .*'

Ond cyn i'r ficer druan gael amser i blygu ei ben fe'i trawyd yn ei dalcen gan gornel y bwrdd *ouija*. Fedra i ddim ailadrodd beth ddwedodd o. Mae o'n rhy ofnadwy. Heblaw i mi ei glywed â'm clustiau i fy hun faswn i byth wedi credu bod ficer yn gwybod sut i regi cystal! Mewn eiliad roedd y ddau yn ei heglu hi ar hyd llwybr yr ardd ac wedi neidio i'r car a phob math o bethau'n hedfan trwy'r awyr ar eu hôl. Roedd y cymdogion busneslyd wedi cael mwy na gwerth eu harian y tro yma.

10

'Beth wnawn ni nawr?' holodd Mam wrth iddi glirio'r llanast o'r ardd ffrynt.

'Mynd i lawr i'r siop i nôl sglodion,' meddwn i. 'Mi fydd yn haws meddwl wedi i ni gael llond bol o fwyd.'

Rhaid ei bod hi'n o ddrwg ar Mam oherwydd wnaeth hi ddim dadlau o gwbl ond rhoi'r pres i mi'n syth. Wrth gerdded i'r siop pwy welais i ond Gwion. Wn i ddim pam ond mi ddywedais wrtho beth oedd wedi digwydd. Roedd y broblem yn tyfu'n fwy ac yn fwy ac roedd rhaid i mi gael ei rhannu efo rywun. Roeddwn i wedi hanner disgwyl i Gwion chwerthin am fy mhen i, ond wnaeth o ddim. Mi roedd o'n ddistaw iawn a dweud y gwir, yna meddai, 'Efallai y gall Llew dy helpu di.'

'Pwy 'di hwnnw?' holais.

'Mae o'n perthyn i Mam ond wn i ddim sut, ac mae o'n gwneud tipyn efo ysbrydion a phethau felly. Cofia di, bydd Mam byth yn sôn amdano—dafad ddu'r teulu bydd hi'n ei alw fo, ond mi fedra i gael ei rif ffôn o i ti . . .' meddai Gwion.

Ac roedd o cystal â'i air. Ymhen rhyw ddeg munud ar ôl i ni orffen bwyta roedd o wrth y drws â darn o bapur yn ei law. Roeddwn i wedi dweud y cyfan wrth Mam ac fe ffoniodd hi Llew ar unwaith. Roedd hi'n tynnu am naw o'r gloch erbyn iddo gyrraedd ond roedd o'n gweld ei bod hi'n o ddrwg arnon ni, a Mam yn ofni aros noson arall yn y tŷ ar ei phen ei hun.

Mi hoffais i Llew o'r foment gyntaf. Roedd ei enw'n ei siwtio i'r dim—clamp o ddyn mawr tal, gwallt hir, blêr fel mwng a barf drwchus i lawr at ei fogail bron. Doedd Mam ddim mor siŵr ohono nes iddo wenu a dangos rhes o ddannedd gwynion iddi. Ond peth peryglus oedd ysgwyd llaw efo fo—roedd o'n gwasgu'n ddidrugaredd!

'Dach chi 'di'i chael hi'n o ddrwg, Mrs Roberts,' meddai, ar ôl gwrando ar yr hanes i gyd.

'A dydy Mali ddim yma heno. Piti. Hi ydy ffocws yr helynt, hi sydd wedi agor y drws i'r ysbryd ddod yn ôl i'r dimensiwn yma ond dydy hi ddim yn gallu ei reoli. Mae ysbrydion yn bwydo ar emosiwn ac mae Mali'n mynd drwy gyfnod emosiynol ar y foment. Dach chi'n deall, Mrs Roberts—cyfnod o newidiadau sylfaenol. Ac fe ddechreuodd pethau ddigwydd ar ôl iddi fod yn defnyddio'r bwrdd *ouija* yn ei llofft. Pethau peryglus iawn ydyn nhw a dylai neb chwarae o gwmpas efo nhw . . . ond mae'r drwg wedi ei wneud nawr . . .'

'Ond beth fedrwn ni ei wneud?' holodd Mam wedi heno flino ar glywed geiriau a gweld dim yn digwydd.

'Os cawn ni fynd i lofft Mali fe gawn ni weld beth fedrwn ni ei wneud,' meddai Llew gan godi. 'Mae'n siŵr fod yr ysbryd yn fwy cartrefol yn y fan honno nag yn unlle arall.'

Roedd golwg mawr yn y llofft gan fod Mam wedi taflu popeth oedd wedi saethu allan ohoni yn ôl i mewn heb falio botwm corn am drefn. Eisteddodd Llew ar gadair yn y gongl wrth y gwely a'r golau o'r lamp fach ar y bwrdd yn ei ymyl yn codi cysgodion tywyll ar ei wyneb. Roedd gweddill y stafell mewn tywyllwch a Mam a minnau'n eistedd ar y gwely yn aros i'r sioe ddechrau.

'Mi wna i ymlacio a gadael i ysbryd Owen ddod yma. Mae o'n reit agos. Fe gewch chi siarad efo fo. Gofynnwch rywbeth iddo . . .'

Edrychodd Mam arna i'n awgrymog.

'Pam wyt ti'n ein poeni ni gymaint, Owen?' holais.

Daeth 'na ddim ateb yn syth ond roedd y golau ar y lamp yn fflachio fel pe bai yn hanner diffodd. Mae'n siŵr fod y mesurydd trydan yn mynd fel peth gwirion, meddyliais.

'Pam na wnei di adael llonydd i Mali?' gofynnodd Mam, ei llais yn llawn teimlad.

Newidiodd wyneb Llew. Roedd golwg filain arno.

'Rhaid . . . cael . . . gwared . . . â . . . Mared . . .' meddai mewn llais bygythiol—llais Owen.

'Pam? Be mae dy chwaer wedi ei wneud i ti?' holais.

'Roedd hi . . . am ddweud . . . wrth . . . Mam . . .'

'Dweud beth?'

''Mod i wedi bod . . . yn . . . dwyn . . .'

'Oeddet ti?'

Aeth pob man yn ddistaw iawn am funud, yna meddai Llew yn ei lais ei hun, 'Mae o'n teimlo'n drist iawn . . . bron â chrio.'

'Oddi ar bwy oeddet ti wedi bod yn dwyn, Owen?' holais.

'Ewythr John. Roedd o'n garedig ac wedi rhoi gwaith i mi. Roeddwn i wrth fy modd ar y fferm ond doedd y gyflog ddim yn ddigon. Roeddwn i eisiau helpu Mam ond doedd gen i ddim arian . . .'

'Beth wnest ti ei ddwyn, Owen?' gofynnais. Roedd Owen yn dipyn haws i'w drin nawr gan fod Llew efo ni, meddyliais.

'Wats . . . wats aur . . . i mi gael ei gwerthu . . . i gael arian.'

'Gest ti arian amdani?'

'Na . . . ei chuddio hi . . . dweud ei bod yn y tŵr. Mared yn chwilio amdani . . . yn meddwl 'i bod hi yno. Na, Mared! Tyrd i lawr o'r tŵr. Mi wnei di syrthio. Aros lle rwyt ti! Mi ddo i atat ti! Na, Mared. Paid â thynnu wrth y garreg yna. Nid yn fan'na mae hi, Mared. Mared, mi lladda i ti os wnei di . . . A-A-A-A . . !'

Roedd y tawelwch yn y stafell yn annioddefol a golwg ryfedd iawn ar wyneb Llew—golwg wag fel tŷ heb neb yn byw ynddo. Yna'n sydyn roedd Llew ei hun yn ôl. 'Mae o wedi mynd, y creadur bach.'

Eisteddodd mewn tawelwch am funud yna meddai, 'Anrhydedd yw cael ailfyw eiliadau olaf bywyd rhywun. Does ryfedd ei fod o'n methu gorffwys, mae ganddo fo gydwybod euog am ei fod o wedi dwyn oddi ar ei ewythr ac wedi ceisio lladd ei chwaer am ei bod hi'n gwybod hynny.'

'Fydd o'n fwy bodlon nawr?' holodd Mam.

'Bydd am dipyn, ond mae arna i ofn nad dyma ddiwedd yr helbul. Mi fydd o'n fwy blin nag erioed ar ôl hyn am ein bod ni'n gwybod ei gyfrinachau. Mae arna i ofn ei fod o'n dal i geisio lladd ei chwaer er mwyn ei chadw'n dawel ac mae hynny'n gosod Mali mewn cryn berygl a dweud y gwir. Na, rwy'n ofni y byddwch chi angen fy help i eto, Mrs Roberts, a hynny cyn bo hir . . .'

Ac mi roedd o'n iawn hefyd.

Ches i fawr o gwsg y noson honno. Doeddwn i ddim yn gallu cynhesu rywsut. Er i mi wisgo sanau am fy nhraed a siwmper dros fy nillad nos roeddwn i'n dal yn oer. Tybed ai presenoldeb Owen yn y tŷ oedd yn ei gwneud hi mor oer? Roedd fel pe bai rhyw awel oer yn chwythu'n dyner drwy'r tŷ er nad oedd na drws na ffenest ar agor yn unman. O'r diwedd es i i nôl fy nghôt a'i thaflu hi dros y gwely ac yna mi ges i ryw fath o gwsg.

Roeddwn i'n gwybod mai breuddwydio roeddwn i, dyna beth oedd mor rhyfedd, ond eto i gyd roedd y freuddwyd yn un real iawn. Am ryw reswm roeddwn i ar ben tŵr yr eglwys yn chwilio am y wats aur roedd Owen wedi ei chuddio ac roedd o yno efo fi'n dweud, 'Oer . . . mwy oer . . . cynhesu . . . cynhesu mwy . . . cynnes . . . cynnes iawn . . . poeth . . . poethach fyth . . .' ond cyn iddo fo allu gweiddi 'Llosgi!' ac i mi ddarganfod y wats, roedd o wedi baglu dros rywbeth ac wedi syrthio dros y wal isel oedd ar ben y tŵr. Pan edrychais i arno roedd o'n gorwedd yng nghanol y cerrig beddau a'i ddau lygad ar agor. Mi wyddwn i 'mod i'n ailfyw ei farwolaeth. Roedd o eisiau i mi wybod . . . eisiau i mi fynd i chwilio am y wats. Ac wrth edrych o'm cwmpas o ben tŵr yr eglwys beth welwn i'n gorwedd yn y fan honno â chyllell yn ei chalon ond Mali ni.

'Na! Na! Ddim Mali. Doedd dim bai arni hi. Fedri di ddim! Na! Na! . . .'

Roedd Owen yno yn gwenu arna i—hen wên sbeitlyd oedd yn dweud y cwbl. Roedd o wedi bwriadu tawelu Mared am byth y diwrnod y cafodd o'i ladd, roeddwn i'n siŵr o hynny, ond fe chwarddodd ffawd goblyn o dric cas arno. Nid Mared druan ond Owen aeth i'w farwolaeth a doedd o erioed wedi gallu maddau iddi. Yn fwy na hynny roedd o'n ceisio dial arni o hyd ac wrth chwarae efo'r bwrdd *ouija* roedd Mali a fi wedi'n denu i mewn i'w gynllwynion. Fe wyddwn i nad oedd dianc i fod. Byddai'n rhaid i mi ymladd Owen os oeddwn i am achub bywyd Mali. Roedd o yno—yn dal i wenu, a minnau'n sgrechian arno i adael llonydd i ni. Yna'n sydyn fe welais fod ganddo chwip yn ei law ac roedd o'n fy chwipio i'n ddidrugaredd.

'Paid, Owen! Rwyt ti'n fy mrifo i!'

Rhoddais fy nwylo dros fy wyneb i geisio cadw'r ergydion rhag fy nallu i a brathodd y chwip ar eu traws. Rhaid i mi droi fy nghefn arno, meddyliais, ond yr eiliad i mi wneud hynny teimlais lach y chwip ar draws fy moch. Yna syrthiodd yn drwm ar fy ysgwyddau, drosodd a throsodd, nes 'mod i'n gweiddi mewn poen a'r cnawd ar fy ysgwyddau yn gig-noeth. Roedd popeth yn mynd yn dywyll a minnau'n syrthio . . . syrthio . . . syrthio . . .

'Nefoedd wen, be sy? Pam wyt ti'n gweiddi fel hyn? Be wyt ti'n wneud yn gorwedd ar y llawr a'r dillad gwely i gyd am dy ben di? Edrych arnat ti, rwyt ti'n chwys domen—a pha ryfedd. Pam wnest ti wisgo siwmper . . . a sanau? Rhys—ateb fi!'

Fedrwn i ddim. Roedd hi wedi taflu gymaint o gwestiynau ataf i.

'Gest ti hunllef?'

'Do.'

'Am Owen?'

'Ie.'

'Mi fydd yn dda gen i weld diwedd ar yr holl beth dieflig yma! Mae o'n dweud ar ein hiechyd ni i gyd. Wn i ddim ai syniad da oedd cael Llew i'r tŷ. Mae fel pe bai'r ysbryd yn ffeindio ffordd newydd o wneud pethau'n anodd i ni o hyd.'

Roeddwn i'n ei chlywed yn siarad drwy ryw niwl tenau.

'Rhys! Edrych ar dy ddwylo di! Maen nhw'n grafiadau gwaedlyd i gyd. A be 'di hwn sydd ar draws dy foch di?'

Edrychais ar fy nwylo ac roedd ôl y chwip i'w weld yn glir. Yn araf bach tynnais gôt y *pyjamas* a cheisio edrych ar fy nghefn.

'Be sy, Rhys bach?' clywais hi'n dweud. Yna daeth sgrech a syrthiodd Mam yn swp ar lawr mewn llewyg. Roedd gweld effaith y chwip wedi bod yn ormod iddi. Tybed ddyliwn i ffonio Llew? Na, roedd hi'n dal yn dywyll. Edrychais ar y cloc. Dim ond deg munud wedi pump o'r gloch y bore roedd hi. Rhywsut roedd rhaid i ni'n dau fyw drwy'r oriau nesaf nes iddi wawrio.

Ond yn gyntaf roedd yn rhaid helpu Mam. Yn ffodus roeddwn i'n gwybod digon am gymorth cyntaf i wybod beth i'w wneud. Roedd rhaid sicrhau ei bod yn anadlu'n rhwydd a bod ei chalon yn curo cyn ei throi ar ei hochr. Es i'r llofft i nôl y dwfe oddi ar y gwely a'i daflu drosti. Edrychais ar y cloc . . . chwarter wedi pump. Os nad oedd hi wedi dod ati hi ei hun ymhen pum munud mi fyddai'n rhaid i mi alw am ambiwlans. Ond, ar ôl ychydig, clywais hi'n griddfan.

'Rhys? Rhys?'

'Dwi yma, Mam.'

'Wyt ti mewn poen?'

'Nac 'dw, Mam,' atebais yn gwbl onest. Yn rhyfedd iawn doedd y crafiadau ddim yn brifo fel crafiadau cyffredin ac mi roeddwn i'n gwybod pam—doedd y croen ddim wedi torri—nid cael fy chwipio oddi allan y ces i ond oddi mewn—roedd y crafiadau'n codi o dan yr wyneb heb i ddim gyffwrdd â mi o gwbl.

Roedd Mam wedi mynd i gysgu. Rhaid ei bod hi wedi ymlâdd yn llwyr. Mae'n rhaid 'mod innau wedi cysgu am ychydig hefyd achos mi ges i'n neffro gan yr oerni. Roedd y stafell fel rhewgell ond yn waeth na hynny roedd y dwfe wedi cael ei dynnu oddi arna i ac roedd o'n hedfan drwy'r awyr fel cadach yn y gwynt yn uwch ac yn uwch tuag at y nenfwd.

'Be ddiawl . . ?'

Yna fe glywais i'r chwerthin—chwerthin Owen, hen chwerthin caled heb fymryn o deimlad ynddo. Roedd o'n cael hwyl am fy mhen i.

'Owen—gwranda—os wyt ti am i mi dy helpu di i ddod o hyd i'r wats rhaid i ti adael llonydd i mi . . .'

Chwerthin cras, unwaith eto. Roedd y sŵn yn

dod o gornel y stafell lle roedd y dwfe yn dal i hongian yn yr awyr. Doeddwn i ddim yn dychmygu'r peth, roedd hynny'n bendant. Piti na fasai Mam yn effro iddi hi gael ei weld. Fyddai neb yn fodlon credu'r peth, ond pe bai Mam *a* fi'n ei weld . . . Yn sydyn daeth y dwfe i lawr yn araf bach a dod i orffwys ar y gwely fel pe bai llaw dyner wedi ei osod yno. Dyna wnaeth fy nychryn i'n fwy na dim. Chlywais i ddim chwerthin wedyn ac fe wyddwn i pam—roedd y wawr wedi torri a'r ysbrydion i gyd wedi mynd yn ôl i ba le bynnag roedden nhw'n cuddio . . . Syrthiais i drymgwsg.

11

'Oes 'na rywun yna?' Clywais y gweiddi a'r curo o bell.

'Mam! Rhys! Agorwch y drws! Deffrwch, wnewch chi? Lle mae pawb?' Roedd Mali wedi dod adre ac yn ceisio dod i mewn i'r tŷ.

Doedd Mali ddim yn gallu credu beth oedd wedi digwydd ers iddi hi fod yn nhŷ Mari—yr holl ddynion dieithr yna yn ei llofft a'r helyntion yn ystod y nos. Erbyn hyn roedd y crafiadau bron â diflannu oddi ar fy nghroen i ond roedd digon o'u hôl i Mali eu gweld, neu fase hi byth wedi coelio'r peth. Roedd yr olwg ryfedd ar wyneb Mam yn dweud y cyfan. Edrychai fel pe bai rhywun wedi ei thynnu y tu chwith allan.

Pan ges i bum munud dyma fi'n dweud wrth Mali, 'Gwranda, Mali, dim ond un ffordd sy 'na i gael gwared â'r hen Owen—rhaid i mi fynd i'r hen eglwys i chwilio am y wats. Yna, os ca i hyd iddi, mi fedra i fynd a'i chladdu hi ym medd ei ewythr. Mae 'na sawl bedd efo *Pritchard* arnyn nhw yn y fynwent. Dwi'n meddwl mai John ddwedodd o oedd enw ei ewythr.'

'Mi oedd yna garreg efo John Pritchard arni yn ymyl bedd rhieni Owen, dwi bron yn siŵr,' meddai Mali. 'Ond, Rhys—mae'r hen eglwys yna'n beryglus. Mae meddwl am geisio dringo i fyny i'r tŵr yn hollol wirion. Beth petait ti'n syrthio yn union fel gwnaeth Owen?'

'Wna i ddim, siŵr! Os wnei di feddwl am bethau fel yna, chodi di ddim o dy wely rhag ofn i rywbeth ddigwydd, a pha fath o fywyd fyddai gen ti wedyn?'

'Wel, mi fyddwn i'n *fyw* beth bynnag!'

'Gwranda, Mali, os na wnawn ni rywbeth i gael gwared ag ysbryd Owen cyn hir mi fydd rhywbeth ofnadwy yn siŵr o ddigwydd i ti. Mae o'n benderfynol o dy ladd di. Yn hwyr neu'n hwyrach mi fydd rhaid i mi roi sialens iddo a wn i ddim beth all ddigwydd yr adeg honno . . .'

'Paid, Rhys! Dwi ddim eisiau meddwl am y peth.'

Aeth i'w hystafell a chau'r drws. Doedd dim modd siarad â hi ar adegau, felly allan â fi i chwilio am Gwion.

Roedd golwg ddigon diflas arno yn eistedd ar ben y wal o flaen y tŷ.

'Wyt ti'n iawn, was?' holais.

'Roedd hi'n noson fawr acw neithiwr—cefnder i mi'n dathlu ei ben-blwydd yn un deg wyth. Mae pawb yn dal i chwyrnu. Wn i ddim pwy sy wedi gwneud ond mae 'na rywun wedi chwydu dros y tŷ bach i gyd. Dwi ddim am fod yno pan fydd

Mam yn deffro. Mi fydd hi mewn coblyn o hwyl ddrwg, fe gei di weld.'

'Beth am ddod am dro efo fi?' cynigiais.

'I ble?'

'I fyny i'r hen eglwys. Mae'n bosib y galla i helpu i gael gwared â'r ysbryd. Mi lwyddodd Llew i gael Owen i ddweud ei hanes wrthon ni. Mi oedd o wedi dwyn wats ei ewythr ac mae o wedi ei chuddio hi ar ben tŵr yr eglwys. Mynd yno i'w nôl hi oedd o pan fu o farw. Roedd ei chwaer yn gwybod beth oedd o wedi ei wneud ac am ddweud wrth ei fam. Mi syrthiodd cyn gallu cael gafael ar y wats. Mae hi yno o hyd. Pe bawn ni'n gallu dod o hyd iddi . . .'

'Mae gen i jest y peth i dy helpu di. Aros funud . . .' a heb ddweud gair arall o'i geg rhedodd Gwion i'r tŷ. Ymhen eiliad roedd o allan eto yn cario teclyn crwn a choes hir iddo.

'Dyma beth sydd 'i angen arnat ti i ddod o hyd i rywbeth metel—*metal detector*,' meddai. 'Rho'r rhain am dy glustiau.' Wrth gerdded ar hyd y gwair ar ochr y ffordd dechreuodd y peiriant wneud sŵn rhyfedd yn fy nghlustffonau. Chwiliodd Gwion yn y pridd a dod o hyd i . . . fodrwy arian? Na . . . dim ond darn bach o fetel a fu unwaith yn cau can diod. Ond roedd hynny'n profi fod y peth yn gweithio, beth bynnag.

A dyna sut y ces i fy hun yn edrych i fyny ar dŵr yr hen eglwys ac yn cofio am y freuddwyd a gefais yn y bore bach.

'Wyt ti'n siŵr dy fod ti'n gwneud y peth iawn, Rhys?' holodd Gwion a golwg reit ryfedd ar ei wyneb.

'Ydw, ond dwi ddim hanner call!' meddwn i.

'Fuest ti erioed!' oedd yr ateb sydyn.

Bu ond y dim i mi roi un iddo yn y fan a'r lle ond yna fe gofiais mai Gwion oedd yr unig un a allai fy helpu i ddod o hyd i'r wats.

Wedi gwthio tipyn ar ddrws yr eglwys fe agorodd ddigon i ni fynd drwyddo i'r tywyllwch. Roedd arogl baw ystlumod ym mhob man.

'Ach y fi! Be 'di'r ogla 'ma?' gwaeddodd Gwion.

Doedd dim angen i mi ateb am fod cawod ddu o adenydd chwim yn disgyn o'r nenfwd. Llwyddais i ddod o hyd i'r grisiau oedd yn arwain i'r tŵr.

'Rhaid i ni ddringo i fyny,' meddwn i, fel pe bai Gwion yn dwp. Ar ôl pedwar neu bump o risiau roedd yn bosib gweld awyr las uwchben y tŵr. Ymhen dim roedd y ddau ohonon ni'n sefyll yno—yn yr union fan lle syrthiodd Owen i'w farwolaeth. Llwyddodd Gwion i lusgo'r teclyn darganfod metel i fyny'r grisiau tywyll a serth, a'r funud y dechreuodd chwilio aeth y peth yn wallgo. Roedd y sŵn yn fyddarol.

'Be sy'n bod arno fo?' gwaeddais.

Trodd Gwion y peiriant i ffwrdd cyn ateb. 'Mae 'na olion o blwm ar y to. Mae'r rhan fwyaf ohono wedi mynd ond mae 'na ddarnau ar ôl o hyd. Dydy'r peiriant yma'n dda i ddim i ti mae arna i ofn.'

'Dim ots. Mi fydd rhaid i ni ddefnyddio'n llygaid, dyna i gyd.'

Ond doedd hynny ddim mor hawdd. Yn y blynyddoedd maith ers i'r eglwys gau roedd mwsog a chwyn wedi tyfu rhwng y cerrig. Wrth chwilio a chodi'r tyfiant o'i wraidd roedd carreg ar ôl carreg yn syrthio o'u lle ac ambell un yn mynd dros yr ochr i lawr i'r tyfiant gwyllt yn y fynwent.

'Rhaid i ni chwilio'r waliau mewn ffordd drefnus,' meddai Gwion.

'Diolch byth fod un ohonon ni'n gallu meddwl yn glir,' atebais. Roedd bod mor uchel i fyny yn rhoi'r bendro i mi. Gan gychwyn o waelod y cornel edrychodd Gwion ar ddau o'r muriau isel a finnau ar y ddau arall, ond heb ddim lwc.

'Does dim byd yma,' meddwn i'n ddigalon. 'Fedra i ddim helpu Owen wedi'r cwbl.'

'Wn i ddim wir,' oedd ymateb Gwion. 'Pe bai Llew yn cael gair arall efo fo efallai y byddai'n fodlon dweud lle mae'r wats.'

'Efallai, ond gad i ni fynd i lawr o'r hen le 'ma. Dwi ddim yn hapus yma o gwbl.'

'Na finnau chwaith!' cyfaddefodd Gwion wrth ei chychwyn hi i lawr y grisiau tywyll.

'Ches i ddim lwc, Mal,' meddwn i ar ôl i mi gyrraedd adref. 'Doedd dim golwg o'r wats yn unman.'

'Efallai na ddwedodd Owen y gwir wrth Llew.

Anodd gwybod pa mor gywir yw'r wybodaeth mae Llew'n ei gael. Does gen i fawr o ffydd ynddo fo. Wn i ddim ddaw o yma eto tasan ni ei angen o.'

'Wrth gwrs y daw o, Mali. Fyddai Llew ddim yn gadael i ni wynebu Owen ar ein pennau'n hunain heb gynnig ei help i ni, rwy'n siŵr o hynny.'

'Beth am i ni drio'r bwrdd *ouija* unwaith eto?' cynigiodd Mali.

'Na! Mae o'n beryglus. Pwy ŵyr beth all ddigwydd?' oedd fy ymateb i.

'Ond heblaw am Llew sut arall fedrwn ni gysylltu â Owen? Gad i ni drio. Mi fydd popeth yn iawn, fe gei di weld. Mae'n rhaid i ni drio pob dim i gael gwared â'r hen ysbryd cas yma—a hynny cyn gynted â phosib!' Roedd Mali'n benderfynol o fentro.

'Wn i ddim wir. Rwyt ti'n gwybod sut mae Mam yn teimlo am y bwrdd *ouija* 'na,' meddwn i gan geisio ei pherswadio i beidio â'i ddefnyddio.

'Beth am Gwion? Ydy o eisiau bod yn rhan o'r peth?' holodd Mali.

'Pam lai. Mae o'n gallach na'r hen ferched gwirion yna rwyt ti'n eu galw'n ffrindiau!'

'Ydy,' cytunodd Mali. 'Rwyt ti'n iawn. Ond beth am Mam?'

'Rhaid i ni gadw'r peth yn gyfrinach. Mae hi wedi bod drwy ddigon y dyddiau diwethaf yma.

Gwell i ni wneud y peth heno, cyn iddi ddod adre o'r gwaith.'

Roedd y tri ohonon ni'n eistedd ar y gwely yn llofft Mali a'r bwrdd *ouija* rhyngddon ni.

'Oes 'na rywun yna?' gofynnodd Mali, a'i llais yn crynu braidd.

Roedd pob man fel y bedd a doedd y gwydr yn symud dim.

'Owen—wyt ti yna?' holais.

Yn sydyn aeth pob man yn oer, fel pe bai gwynt o begwn y gogledd yn chwythu drwy'r stafell. Gallwn weld wrth wynebau'r ddau arall eu bod nhw'n teimlo'r oerni hefyd. Yr eiliad honno dechreuodd y gwydr symud.

'M . . . A . . . R . . . E . . . D.'

'Sut fedrwn ni helpu, Owen?' gofynnodd Mali.

'W . . . A . . . T . . . S.'

'Lle mae'r wats?' holodd Gwion.

'E . . . G . . . L . . . W . . . Y . . . S.'

'Yn lle'n union yn yr eglwys?' holais.

'D . . . A . . . N . . . Y . . . R . . . A . . . L . . . L . . . O . . . R.'

'Dan yr allor?' Doedd Gwion ddim yn deall y peth.

'D . . . A . . . N . . . Y . . . R . . . A . . . L . . . L . . . O . . . R . . .' oedd yr ateb wedyn.

'Wyt ti eisiau i ni fynd i chwilio am y wats o dan yr allor yn yr eglwys?' gofynnais wedyn.

'Y . . . D . . . W!'

Dechreuodd y gwydr symud fel peth gwallgof o un pen i'r bwrdd i'r llall. Nid ni oedd yn gwneud iddo symud, roeddwn i'n siŵr o hynny. Beth bynnag oedd yn gyfrifol am y peth roedd o'n rymus iawn. Yn sydyn dechreuodd y gwely symud. Roedd y pen lle roedd Mali'n eistedd yn codi'n raddol o'r llawr. Yna dechreuodd cryndod fynd drwyddo a'r gwely'n siglo'n ôl a blaen, i fyny ac i lawr. Roedd o'n union fel bod ar gwch mewn storm.

'Beth sy'n digwydd?' llefodd Mali mewn braw. Mewn un hergwd fawr taflwyd y tri ohonom i'r llawr a daeth y gwely i lawr am ein pennau. Fe welais i'r bwrdd *ouija* yn fflio trwy'r awyr tuag ata i. Yna aeth pob man yn dywyll.

'Rhys? Rhys bach! Wyt ti'n iawn?'

Llais Mam roeddwn i'n ei glywed ond ei bod hi'n swnio'n bell, bell i ffwrdd.

'Mi ddaw ato'i hun mewn munud,' meddai llais Llew.

Roedd rhywbeth oer, gwlyb ar fy nhalcen i. Yn raddol agorais fy llygaid a gweld pawb yn edrych i lawr arna i.

'O, Rhys bach! Diolch byth!' Roedd Mam yn fy nghofleidio i'n ddidrugaredd.

'Dwi'n iawn, Mam.' Llwyddais i gael digon o nerth i siarad o'r diwedd. Roedd gen i gywilydd fod Mam yn ymddwyn mor wirion o flaen Gwion. Y funud gwelodd hi 'mod i'n dod ataf fy hun dyma hi'n troi'n gas.

'Melltith ydy'r hen fwrdd *ouija* 'ma! Dwi wedi dweud. Mae'n rhaid ei daflu allan!'

''Dan ni wedi ei daflu allan, Mam,' meddai Mali'n daer. 'Ddaru Rhys ei daflu o i'r bin, ond fe ddaeth o'n ôl i'r tŷ drwy'r drws ffrynt, er bod hwnnw wedi ei gau, a malu'r gwydr wrth wneud hynny . . .'

Edrychodd Mam ar Mali, a'i cheg yn llydan

agored. Roedd hi'n cofio'r llanast yn yr ardd a gwydr y drws yn deilchion.

'Mae eich mam yn iawn,' oedd sylw Llew. 'Mae bwrdd *ouija* yn beth peryglus iawn. Dach chi wedi dechrau rhywbeth na fedrwch chi ei reoli. Dyna pam mae angen help rhywun fel fi arnoch chi. Beth ddwedodd Mared wrthoch chi cyn i bethau fynd allan o reolaeth?'

'Dweud fod y wats o dan yr allor yn yr eglwys,' oedd ateb Mali.

'Mi wna i geisio cysylltu â'r ysbrydion unwaith eto,' awgrymodd Llew, 'ond rhaid i ni gael trefn ar y llofft yma'n gyntaf. Yna mi awn i lawr i'r parlwr. Mae gormod wedi digwydd yn y stafell yma'n barod . . .'

Edrychais ar Mali. Roedd hi'n edrych yn flin ar Llew. Sylwais ei bod yn magu'r bwrdd *ouija* fel petai o'n rhywbeth gwerthfawr tu hwnt, fel petai'n magu babi. Roedd o'n ei denu hi fel magned, fe wyddwn i hynny. Byddai dim trefn ar bethau nes i mi ddinistrio'r peth yn llwyr. Ond sut oeddwn i'n mynd i wneud hynny a Mali'n ei warchod mor ofalus? Gwyddwn nad nawr oedd yr amser. Roeddwn i'n dal i ddioddef o effaith yr ergyd ar fy mhen ond pan ddeuai'r cyfle . . .

Eisteddodd pawb o gwmpas y bwrdd. Ymlaciodd Llew, a chyn hir roedd Mared yn siarad drwyddo. Roedd ei neges yn glir. Roedd Owen wedi cuddio'r wats o dan yr allor yn yr eglwys ond wedi dweud wrthi hi bod y wats i fyny yn y tŵr er mwyn denu Mared yno. Yna roedd o wedi bwriadu ei thaflu o ben y tŵr i'w marwolaeth. Cyn i ni gael cyfle i holi mwy arni dechreuodd Owen ymyrryd. Aeth y stafell yn oer ofnadwy. Fflachiodd y golau trydan fel pe bai'r cyflenwad ar fin cael ei dorri i ffwrdd. O gornel fy llygaid gwelais dudalennau'r Beibl agored yn troi fel pe bai gwynt cryf yn eu chwythu. Yna cododd pot blodyn oddi ar y teledu, symud drwy'r awyr ar draws y stafell, a syrthio ar y Beibl gan dywallt pridd gwlyb drosto. Sgrechiodd Mam a hanner llewygu. Cododd Llew a mynd ati.

'Mae popeth yn iawn. Peidiwch bod ofn.'

'Ofn!' gwaeddodd Mam.

'Ewch allan, blant!' meddai Llew. Ar waethaf ei eiriau roeddwn i'n amau ei fod o wedi dychryn hefyd.

'Ie, ewch i'r siop i brynu sglodion i swper!' gwaeddodd Mam.

'Iawn, mi a' i nawr, Mam,' cynigiais, ac roedd Gwion yn barod iawn i ddod efo fi.

Wn i ddim beth ddigwyddodd tra oedd y ddau ohonon ni'n nôl y sglodion. Tybed oedd Mali wedi ceisio cael mwy o wybodaeth gan Mared? Roedd hi'n amlwg ei bod wedi defnyddio'r bwrdd *ouija* a fod rhywbeth wedi mynd o'i le. Mi fedrwn i glywed Mam yn gweiddi 'Mali! Mali!' wrth i mi gerdded at y giât.

Edrychais i fyny at ffenest ei llofft a gallwn weld Mali'n glir. Roedd hi'n hofran yn yr awyr, yn symud yn ôl a blaen ar draws y stafell yn union fel pe bai'n gorwedd ar ei gwely neu'n cymryd rhan mewn sioe hud a lledrith ar y teledu. Doedd dim yn ei dal i fyny, dim byd o gwbl. Roedd y cymdogion i gyd allan ar y stryd yn gwylio popeth ac roedd gan un ohonynt gamera fideo. Mi wyddwn i ei bod ar ben arnon ni. Byddai'n amhosibl cadw hyn allan o'r papurau newydd.

Ymhen eiliad roeddwn i wedi rhedeg i'r llofft. Roedd Mam yno yn sgrechian ar Mali ond doedd honno'n medru clywed dim. Gafaelais yn ei llaw a sylwais fod ei chorff yn galed, fel darn o bren. Roedd ei hwyneb yn welw iawn ond roedd ei llygaid ar agor a'r ddwy'n rhythu'n syth ymlaen i wagle mawr. Doedd hi ddim fel pe bai'n anadlu o gwbl. Wyddwn i ddim at bwy i droi—at Mam neu at Mali.

'Paid ag ypsetio, Mam,' meddwn i'n dawel. 'Tyrd i eistedd fan hyn.'

Unwaith roedd hi wedi rhoi ei phwysau i lawr ar y gadair roedd hi fel pe bai'n tawelu a golwg o sioc llwyr ar ei hwyneb. Roedd Mali'n dal i symud yn ôl a blaen ar draws y stafell, mor ysgafn â phluen ond mor galed â haearn. Mwy nag unwaith es ati i cheisio ei thynnu i lawr fel ei bod yn glanio ar y gwely ond y funud roeddwn yn gadael iddi fynd byddai'n codi i'r awyr unwaith eto, fel pe bai swigen anferth anweledig yn ei dal. Erbyn hyn roedd Mam yn crio'n dawel. Roedd hi wedi cyrlio i fyny yn belen ac yn siglo'n ôl a blaen fel pe bai'n ceisio'i chysuro'i hun. Doeddwn i ddim yn hoffi'r peth o gwbl.

Aeth Llew at Mali ond fedrai o, yn fwy na finnau, wneud dim i'w chael i orwedd ar y gwely heb godi i'r awyr eto.

'Rhaid i mi gysylltu ag Owen,' meddai. Eisteddodd ar y llawr a phwyso'i ben yn ôl yn erbyn drws y stafell. Gallwn weld wrth ei lygaid ei fod o'n ymlacio, yn gadael i Owen gymryd drosodd . . .

'Rhaid cael gwared â Mared . . .' meddai llais bygythiol Owen. Roedd o'n llawn casineb. Mae'n rhaid ein bod ni wedi gwneud pethau'n llawer gwaeth wrth geisio cysylltu drwy'r bwrdd *ouija* unwaith eto, ac wrth edrych ar Mali mi wyddwn i ei bod hi mewn perygl mawr.

'Pam wyt ti eisiau cael gwared â Mared?' gofynnais, gan wybod na fyddwn yn cael ateb call.

'Mae hi'n gwybod gormod,' oedd yr ateb.

'Beth mae hi'n ei wybod?' holais eto.

'Am y wats . . . am y wats . . . am y wats . . .'

'Beth am y wats?' gofynnais.

'Rhaid cael gwared â Mared . . . rhaid cael gwared â Mared . . .' Roedd o fel tôn gron.

'Sut wyt ti am gael gwared â hi?' mentrais ofyn.

'Tŵr yr eglwys . . . tŵr yr eglwys . . . tŵr yr eglwys . . .'

Doedd dim byd newydd fan hyn; felly, roedd rhaid i mi ei herio.

'Mae'r wats o dan yr allor yn yr eglwys. 'Dan ni'n gwybod hynny. Mae Mared wedi dweud wrthon ni,' meddwn i gan feiddio ei wylltio. 'Os a' i yno, ei chael hi a'i rhoi hi'n ôl i dy ewythr bydd popeth yn iawn, yn bydd Owen? Wedyn bydd dim rhaid i ti gael gwared â Mared.'

Arhosais am ateb ond dim ond distawrwydd llethol oedd yn y stafell. Edrychodd Mam oddi wrth Mali at Llew drwy lygaid yn llawn dagrau. Roedd Gwion yn amlwg wedi synnu at gryfder teimladau Owen a'r hyn roedd Llew yn medru ei wneud. Doedd dim arwydd ar wyneb Llew i ddweud beth oedd ymateb Owen ond yn raddol dechreuodd Mali symud yn nes at y gwely, daeth i lawr gentimetr wrth gentimetr nes o'r diwedd roedd yn gorwedd ar ei gwely. Cododd Mam a mynd ati a gafael yn ei llaw. Roedd corff Mali'n llipa erbyn hyn a'i llygaid ynghau. Bron na fedrwn gredu mai cysgu roedd hi ond doedd dim modd ei deffro er i Mam geisio gwneud hynny droeon.

'Rhaid mynd â hi i ysbyty ar unwaith,' meddai Llew. 'Mae hi'n hofran rhwng dau fyd. Gwion, ffonia am ambiwlans. Nawr! Os caiff Owen ei ffordd mi fydd hi farw. Mae o'n credu mai Mared yw Mali ac mae o am ddial arni, rwy'n teimlo hynny'n gryf iawn. Yr unig ffordd i'w hachub yw i ti gadw at dy ran di o'r fargen, Rhys. Rhaid i ti fynd i'r eglwys, dod o hyd i'r wats a'i chladdu ym medd John Pritchard.'

'Mae'r ambiwlans ar ei ffordd,' meddai Gwion.

Edrychais ar Gwion ac fe wyddwn y byddai o'n fodlon dod efo fi i'r eglwys, beth bynnag fyddai'r canlyniadau . . .

'Sut allan nhw ei hachub hi?' gofynnais i Llew. 'Dydyn nhw ddim yn gwybod beth sy'n bod arni.'

'Mi fydd popeth yn iawn,' meddai Llew. 'Cadw di at dy hanner di o'r fargen ac mi wna i beth fedra i. Mae modd delio ag ysbrydion anodd sy'n ceisio amharu ar y byw. Rhaid i mi fynd i ofyn am gymorth nifer o'm ffrindiau sydd, fel fi, yn gallu cysylltu â'r byd anweledig. Yn hwyr neu'n hwyrach fe gawn ni drefn ar Owen Pritchard, unwaith ac am byth.'

'Gobeithio na fydd hi'n rhy hwyr . . .' oedd sylw digalon Gwion.

Agorais y drws i'r dynion ambiwlans a chael sioc fy mywyd. Roedd yr ardd yn llawn o ddynion y wasg ac roedd mwy nag un camera'n clecian wrth i Mali, druan, gael ei chario i'r ambiwlans.

'Ydy hi'n wir fod ysbryd wedi ymosod arni?' holodd rhywun.

'Ydy hi'n mynd i farw?' gofynnodd un arall.

'Ydy hi wedi bod yn hofran yn yr awyr?'

'Sefwch yn ôl!' gwaeddodd Llew. 'Mae hon yn alwad frys!'

'Ti yw ei thad hi?' holodd rhywun.

Erbyn hyn roedd Mam wedi llwyddo i wthio drwy'r dynion ac i mewn i'r ambiwlans ar ôl Mali. 'Bydd yn ofalus, Rhys!' clywais hi'n gweiddi cyn i'r drws gau. Aeth yr ambiwlans i lawr y stryd â'i seiren yn swnio dros bob man.

'Beth sydd wedi digwydd yma?' Nawr roedd yr heddlu wedi cyrraedd.

'Dim,' meddwn i, 'ond mae Mali'n chwaer yn sâl iawn ac mae wedi mynd i'r ysbyty.'

'Mae hon yn stori dda,' oedd sylw un dyn papur newydd. 'Mi ddylai wneud tudalen flaen y papur Sul.'

'Does 'na ddim stori yma,' meddwn i. 'Mae rhywun wedi dweud celwydd wrthoch chi.' Cerddais i'r tŷ a chloi'r drws ar fy ôl. Ymhen dim roedd yr heddlu wedi clirio pawb o'r ffordd a'r stryd yn wag a thawel unwaith eto. Roedd Gwion yn aros amdana i yn y gegin.

'Tyrd, Rhys,' meddai, 'mae'r tships yn oeri.'

13

Roedd y ddau ohonom yn barod i fynd i'r hen eglwys unwaith eto, a Gwion wedi dod â'i declyn darganfod metel efo fo rhag ofn, ond fedrwn i ddim peidio â theimlo iasau oer yn mynd i lawr asgwrn fy nghefn wrth gerdded rhwng y beddau yn y fynwent.

'Diolch am ddod efo fi, Gwion, ond dwyt ti ddim hanner call, cofia.'

'Na, mae hynny'n siŵr o fod yn wir. Pwy arall fyddai'n fodlon dod gyda ti i'r hen eglwys fel hyn yng nghanol y nos!'

Fe wyddwn i ei fod o'n dweud y gwir ond am ryw reswm rhyfedd teimlais y byddai'n beth da petai Dad yma efo fi hefyd. Bechod mawr ei fod o'n dal yn y carchar. Yn sicr doeddwn i ddim am iddo gael newydd drwg am Mali. Wyddwn i ddim yn iawn a fyddai o'n medru credu beth oedd wedi digwydd yn ein tŷ ni. Edrychais ar Gwion. Roedd ei wyneb i weld yn welw iawn yng ngolau'r lleuad, mor wyn â'r angel o farmor roeddwn i'n cerdded heibio iddi. Bron na fedrwn i gredu fod Owen yn chwarae mig â ni o gwmpas y cerrig beddau.

'Mae o yma. Mi fedra i ei deimlo fo,' meddai Gwion, fel pe bai o'n medru darllen fy meddwl i.

'Dydy o ddim yn hapus iawn chwaith. Mae o'n ysbryd annifyr iawn.'

Wrth wrando arno'n siarad fedrwn i ddim llai na theimlo fod yr hen Gwion wedi etifeddu peth o ddawn ei ewythr. Efallai ei fod o hefyd yn medru siarad ag ysbrydion ond heb sylweddoli hynny tan y funud yma . . .

Roedd hi'n fwy tywyll yn yr eglwys nag oddi allan yn y fynwent a heb olau'r torts mi fyddai wedi bod yn amhosib dod o hyd i'r allor. Y peth mwyaf anodd oedd cadw'r ystlumod o'n gwalltiau. Roedden nhw fel pethau gwirion o'n cwmpas ni. Gwthiais fy ffordd rhwng yr allor a wal yr eglwys. Dim ond blwch o garreg heb gefn oedd o, wedi'r cwbl, meddyliais, ond rhywsut roeddwn i'n teimlo na ddylwn i fod yno o gwbl.

'Dal y torts i mi gael gweld be sy 'ma,' meddwn i wrth Gwion, ond er i'r ddau ohonon ni edrych doedd dim byd yno ond gwe pry cop a baw llygod.

'Owen—paid â chwarae triciau!' clywais fy hun yn gweiddi. 'Does dim byd o dan yr allor!'

Roedd fy llais yn atsain ar hyd furiau llaith yr hen eglwys ac yn gwneud i mi deimlo fod Owen yno yn chwerthin ar fy mhen.

'O dan yr allor . . .' clywais Gwion yn ei ddweud. 'Aros funud . . .'

Trodd y teclyn darganfod metel ymlaen a dechrau crwydro o gwmpas, o flaen ac wrth ochr yr allor. Yn sydyn rhoddodd y teclyn wich a dechreuodd Gwion gloddio yn y baw ar y llawr.

Wn i ddim beth ddigwyddodd nesaf ond mi wyddwn i 'mod i'n syrthio drwy'r tywyllwch . . . i lawr . . . i lawr . . . i lawr . . . a phopeth yn mynd yn ddu wrth i mi lanio'n galed.

'Rhys! Wyt ti'n iawn? Arna i mae'r bai. Mi wnes i godi'r fodrwy haearn yn y llawr a heb wybod i mi rhaid 'mod i wedi symud carreg yn ymyl lle roeddet ti'n sefyll.'

'Lle ydan ni?' holais. Rhaid 'mod i wedi taro 'mhen neu rywbeth; roedd pob man yn troi.

'O dan yr allor . . .' oedd ateb Gwion.

'Ond . . . ond . . .'

'Ie, o dan yr allor lle roedd y bobl bwysig yn cael eu claddu erstalwm.'

'Y torts . . . ble mae'r torts?' holais.

'Paid â phoeni, mae popeth yn iawn. Edrych.'

Yng ngolau'r torts gallwn weld rhyw bethau a edrychai fel blychau hir o bren mewn un rhes hir. Arch oedd yr enw iawn ar y math yma o beth, mi fedrwn i gofio hynny. Roeddwn wedi syrthio ar ben un ohonynt a'i falu. Wrth geisio codi gafaelais mewn rhywbeth oer, tenau.

'Be 'di hwn?' holais. Sgleiniodd Gwion y torts a bu bron i ni'n dau lewygu. Roeddwn i'n dal asgwrn braich rhywun yn fy llaw.

'Tyrd o 'ma am dy fywyd, Gwion,' meddwn i. Roeddwn i'n teimlo awydd taflu i fyny.

'Ond beth am Mali? Beth am y wats? Rhaid i ni ddal i chwilio amdani. Efallai ei bod hi yma'n rhywle. Efallai fod Owen wedi ei chuddio hi fan hyn.'

'A lle rwyt ti'n mynd i ddechrau chwilio yng nghanol yr holl sgerbydau 'ma?' holodd Gwion a golwg ryfedd ar ei wyneb.

'Syrthio i'r twll 'ma wnes i?' gofynnais.

'Ie,' oedd ateb Gwion. Doedd o ddim yn deall pam 'mod i'n gofyn cwestiwn mor dwp.

'Beth amdanat ti, syrthio wnest ti?' holais wedyn.

'Na, dod i lawr y grisiau,' oedd yr ateb.

Y tu ôl i Gwion gallwn weld grisiau cerrig yn ymestyn i fyny i'r eglwys.

'Mi fedrwn ni fynd oddi yma felly,' meddwn i'n llawn doethineb. 'Mi fedrwn ni fynd oddi yma a dod â'r teclyn darganfod metel yn ôl i lawr yma.'

Y funud honno cefais fy ngadael mewn tywyllwch yng nghanol y meirw. Roedd Gwion wedi mynd â'r torts efo fo. Mewn eiliad roedd o yn ôl uwch fy mhen.

'Gafael yn hwn,' meddai gan estyn y teclyn darganfod metel i lawr ata i.

Dechreuodd y ddau ohonom edrych o'n cwmpas. Tybed a oedd gobaith i ni fedru dod o hyd i wats yn y fath le ofnadwy?

Cerddodd Gwion o gwmpas gan gario'r teclyn. Digwyddodd dim byd am ychydig ond yn fuan wedyn dechreuodd wichian wrth fynd heibio pob arch. Roedd y sŵn yn ddigon i ddeffro'r meirw—ond wnaeth o ddim, diolch byth! Sylweddolodd Gwion mai'r dolenni ar ochrau'r eirch oedd yn achosi'r sŵn a brysiodd i ddiffodd y peiriant. Er i ni chwilio cymaint ag y medren ni doedd dim byd tebyg i wats yn unman.

'Na, does dim byd yma,' meddwn i'n ddigalon. 'Heb y wats fedrwn ni byth achub Mali. Mi fydd hi farw ac arna i fydd y bai . . .'

'Paid â bod yn wirion, Rhys. Does dim bai arnat ti. Rwyt ti wedi gwneud popeth fedret ti i'w helpu hi.'

'Ble mae'r torts yna?' meddwn i'n sydyn. 'Mae'r wats o dan yr allor—dyna ddwedodd Mared. Rho olau'r torts ar y muriau a'r nenfwd.'

Wrth i'r golau fynd ar hyd y cerrig llaith disgleiriodd rhywbeth yn y golau. 'Fan'na!' gweiddais.

Arhosodd y golau ar un garreg oedd yn gwthio allan ychydig oddi wrth y gweddill i greu silff fechan. Yno, yn gorwedd yn dew o lwch roedd y wats. Ymhen eiliad roeddwn i'n gafael ynddi. Wedi agor y cefn gallwn weld yn glir fod enw John Pritchard wedi ei cherfio arni.

'Dyma hi. O'r diwedd. Tyrd, Gwion, rhaid i ni fynd â hi . . .'

'O, na!' Clywais lais Gwion yn gweiddi yn fy nghlust. Trodd y golau i fyny i ben y grisiau cerrig. Roedd y garreg ar ben y grisiau wedi mynd yn ôl i'w lle a'r ffordd i fyny i'r eglwys wedi cau.

'Owen! Rhaid mai Owen sy'n gyfrifol,' meddwn i. 'Sut gallai'r garreg fod wedi symud ar ei phen ei hun?'

Fel ateb i'r cwestiwn fe glywais i'r chwerthin, yr hen chwerthin caled, cras. Roedd Owen yn yr eglwys ac wedi'n cau ni i mewn gyda'r meirw. Nawr doedd gen i ddim gobaith achub bywyd Mali ac mi fyddai Owen wedi ennill y frwydr. Yr eiliad honno penderfynodd y barti yn y torts orffen. Roedd hi'n dywyll fel y fagddu ac roeddwn yn meddwl ei bod ar ben arnon ni.

Aeth munudau heibio heb i'r un ohonon ni ddweud gair.

'Fedrwn ni ddim eistedd yn fan hyn heb wneud dim!' meddwn i, wedi gwylltio'n llwyr.

'Beth am i ni'n dau geisio codi'r garreg i fyny?' cynigiodd Gwion.

Aeth y ddau ohonom ni ati i ddilyn y grisiau i fyny a rhoi ein hysgwyddau o dan y garreg a gwthio â'n holl nerth. Fe symudodd y garreg y mymryn lleiaf ac yna syrthio'n ôl i'w lle.

'Does ganddon ni ddim gobaith dianc!' meddwn i'n ddigalon. 'Fedrwn ni byth godi'r garreg. Mae'n amhosib yma. Fedrwn ni weld dim yn y tywyllwch ac mae'n mynd yn fwy anodd anadlu bob munud!'

Erbyn hyn roeddwn i'n dechrau chwysu ac yn ei chael hi'n anodd cael fy ngwynt.

'Eistedd i lawr am funud, a phaid â phoeni cymaint. Rhaid bod ffordd i ddianc o'r lle uffernol 'ma,' meddai Gwion. 'Ambell dro roedd drws yn cael ei adeiladu yn wal yr eglwys fel ffordd i fynd i lawr o dan yr adeilad o'r fynwent. Dyma sut byddai'r meirw'n cael eu cario i'r lle ofnadwy 'ma.'

'Ond sut fedrwn ni ffeindio drws yn y tywyllwch? A hyd yn oed pe bydden ni'n dod o hyd iddo sut fedren ni ei agor?' holais mewn penbleth.

'Bydd rhaid i ni fynd ar hyd y waliau yn y tywyllwch nes i ni deimlo pren y drws,' meddai Gwion.

Syniad digon call, meddyliais, ond roedd rhaid cyrraedd at wal yn gyntaf a doedd hynny ddim yn hawdd gan fod y lle'n llawn o eirch, a'r pren ynddynt wedi pydru, a darnau o gyrff y meirw yn gwthio allan drwyddynt. Roeddwn yn fyr iawn fy ngwynt erbyn hyn ac yn ysu am gael teimlo awyr iach ar fy ngwyneb. Cerddais ymlaen yn araf gan ddal fy mreichiau allan o'm blaen fel dyn dall, ac wedi baglu unwaith neu ddwy dros ambell arch cyrhaeddais wal gerrig.

'Dwi wedi cyrraedd wal,' gwaeddais.

'A finnau,' meddai llais Gwion o ben draw'r tywyllwch. 'Dilyn y wal i'r dde,' awgrymodd Gwion. Cerddais yn araf, gam wrth gam, gan lanhau'r wal o flynyddoedd o we pry copyn ar yr un pryd. Gallwn glywed Gwion yn symud yn y tywyllwch ac roeddwn yn siŵr ei fod yn dod yn nes ata i. Ymhen ychydig teimlais fymryn o awyr iach yn dod o rywle. Daeth y cerrig i ben a sylweddolais mai pren oedd dan fy nwylo.

‘Dwi’n meddwl ’mod i wedi cyrraedd y drws,’ gwaeddais.

‘Aros yno a dal i siarad,’ meddai Gwion, ‘er mwyn i mi gael dilyn sŵn dy lais di.’

Aeth hydoedd heibio ond, o’r diwedd, gallwn glywed Gwion yn anadlu yn fy ymyl. Wrth gwrs roedd y drws wedi ei gloi ac mor amhosib ei agor a phe byddai o wedi ei wneud o garreg.

‘Dyna fo. Be ddwedes i. Does ganddon ni ddim gobaith dianc o’r lle ’ma.’

‘Wel, mi fedrwn ni weithio’n ffordd drwy bren yn haws na thrwy garreg,’ oedd sylw Gwion.

‘Efo beth? Asgwrn?’ holais yn ddigalon.

‘Mi fedra i ddefnyddio’r teclyn darganfod metel fel bwyell,’ oedd ateb Gwion. ‘Mae pren y drws wedi pydru. Mi allwn ni drio malu’r gwaelod fan hyn lle mae o wedi dechrau gwanhau.’

‘Aros funud!’ Roedd fy nwylo wedi cau am rywbeth oer a chaled—bar haearn.

‘Be sy?’ holodd Gwion.

‘Mae’n biti i ti falu’r teclyn darganfod metel pan fo darn o haearn fan hyn all wneud y gwaith yn well.’

‘Dyma ni dipyn o lwc,’ meddai Gwion. ‘Nawr mi allwn ni falu’r drws.’

Roedd y bar haearn yn llawer trymach nag oedden ni’n dau wedi ei ddychmygu. Prin ein bod yn gallu ei godi heb sôn am ei hyrddio at y drws ond bob tro y trawai’r haearn y pren byddai darnau o’r drws yn syrthio i’r llawr. Yn raddol roedden ni'n ennill y frwydr ond doedd ganddon ni ddim llawer o amser. Doedd fawr o awyr iach yn ein carchar ac roedd anadlu'n mynd yn fwy a mwy anodd. Er ei bod yn galed arnon ni fedrwn i ddim llai na meddwl am Mam hefyd. Tybed beth oedd hanes Mali druan? A fyddai'r meddygon yn gallu gwneud rhywbeth i'w hachub?

Wedi taro'r drws nifer o weithiau roedd y ddau ohonon ni'n flinedig ofnadwy. Roedd awydd cysgu arna i yn fwy na dim byd arall, cysgu fel y meirw o'n cwmpas. Roedd Gwion yn teimlo'r un fath.

'Rhaid i ni orffwys am ychydig, Rhys. Rhaid i ni geisio cadw'n nerth ni . . .'

'I beth, Gwion? Mae ar ben arnon ni. Does dim llawer o awyr iach yn y lle 'ma. 'Dan ni wedi'n claddu'n fyw . . .'

Doedd gan Gwion ddim ateb.

'A thra'n bod ni'n dau wedi'n dal fan yma mae Mali'n marw . . .'

Dydw i ddim yn un am weddïo ond mi wnes i roi gweddi fach dawel y funud honno, gweddi am help i ddianc o'r lle ofnadwy yma, a gweddi fach dros Owen hefyd. Roedd o wedi dioddef digon. Gweddïais iddo gael gorffwys o'r diwedd.

Bu'r ddau ohonom yn eistedd mewn tawelwch am ychydig funudau yna meddwn, 'Gad i ni drio unwaith eto. Fe godwn ni'r haearn ar ôl tri—iawn. Un, dau, tri . . .' Wn i ddim sut y llwyddodd Gwion a fi i daro'r drws dair gwaith ond ar y trydydd tro malodd digon o waelod y drws i ni weld ei bod yn noson olau leuad braf oddi allan. Roedd yr awyr iach yn fendigedig ac am y tro cyntaf gallem weld lle mor ofnadwy oedd ein carchar. Rhoddodd hyn obaith newydd i ni.

'Unwaith eto,' meddai Gwion. A'r tro yma malodd y drws yn ddigon i ni wthio'n ffordd allan drwyddo. Roedd cael sefyll yn yr awyr iach unwaith eto yn hyfryd o braf.

'Does dim amser i sbario,' meddai Gwion, 'Mae'n rhaid i ni chwilio am fedd John Pritchard.'

Diolch i'r drefn, roedd dod o hyd i'w fedd yn llawer haws na dianc o berfedd yr eglwys. Ymhen fawr o dro roedd y dau ohonom yn ceisio gwneud twll mewn pridd caled oedd yn llawn cerrig gwynion a'r rheiny'n brifo'n dwylo ni. Ond, o'r diwedd, roedd yna ddigon o le i gladdu'r wats o'r golwg yn y bedd.

'Dyna chi, John Pritchard. Dyna hi'r wats yn ôl i chi. Mae Owen yn flin iawn iddo fo ei dwyn hi. Ddaeth hi â dim lwc o gwbl iddo fo. Nawr mae o'n ei rhoi hi'n ôl i chi gan ofyn i chi faddau iddo fo.'

Chwarae teg i Gwion, wnaeth o ddim chwerthin am ben fy mhregeth i. Roedd o'n rhy brysur yn edrych draw at giât y fynwent. Roedd rhywun yn sefyll yno ar y llwybr yng ngolau'r lleuad yn ein gwylio ni.

'Wyt ti'n ei weld o?' gofynnodd Gwion.

'Ydw. Bachgen ychydig yn hŷn na ni . . . ond mae o'n gwisgo dillad henffasiwn.'

'Owen ydy o. Edrych.'

Cododd Owen ei law ac fel ffyliaid dyma ni'n chwifio'n dwylo yn ôl tuag ato. Yn raddol bach diflannodd gan adael dim ond lle gwag ar y llwybr . . .

Roedd Mam a Llew yno yn ein disgwyl ni pan gyrhaeddon ni adref. Doedd y meddygon ddim yn gwybod sut i drin Mali druan, ond roedd hi wedi dod ati ei hun ryw awr yn ôl ac eisiau dod adref, ond doedden nhw ddim yn fodlon iddi wneud hynny am ddiwrnod neu ddau eto.

Roedd golwg bryderus ar wyneb Llew wrth iddo wrando arnon ni'n dau'n adrodd hanes yr hyn ddigwyddodd yn yr eglwys. Gwrandawodd yn astud cyn mynd ati i esbonio.

'Roedd Owen wedi mynd mor gryf yn y diwedd nes i ni bron â methu cael trefn arno. Fo symudodd y garreg, does gen i ddim amheuaeth am hynny. Ond y funud roedd y drws wedi'i falu roedd o'n gwybod ei fod o wedi colli'r frwydr. Erbyn hyn mae o'n gorwedd yn dawel yn ei fedd, a diolch am hynny. Wel, rhaid i mi fynd, mae hi wedi bod yn noson hir iawn.'

'Fedra i ddim diolch digon i chi, Llew . . .' meddai Mam, a'i llais yn crynu. 'Gobeithio fod popeth drosodd nawr ac na chawn ni fwy o helynt yn ein tŷ ni eto.'

'Na chawn!' meddwn i. Ymhen eiliad roeddwn i wedi mynd i lofft Mali a chael hyd i'r bag *Tesco* oedd yn cynnwys y bwrdd *ouija*. Heb amheuaeth, hwn oedd gwraidd y drwg i gyd. Mi es i allan i'r cefn a chwilio am lif a llifio'r bwrdd *ouija* nes oedd o'n ddarnau mân. Codais bob un darn a'u gosod yn y bag.

'Be wnei di â fo?' holodd Gwion.

'Ei daflu fo i'r afon fesul darn, gan obeithio na wneith o ddrwg i neb byth eto,' meddwn i. 'A mi wn i un peth arall—wna i byth, byth, geisio cysylltu ag ysbrydion eto.'

'Na finnau chwaith!' oedd ymateb Gwion.

Prynhawn dydd Sul daeth Mali adref. Roedd hi'n edrych yn fwy tebyg i'r hen Fali roeddwn i'n ei hadnabod cyn i'r holl helynt ddechrau ond, gobeithio, wir, ei bod hi wedi callio ac am gadw draw oddi wrth yr hen ferched gwirion yna roedd hi'n eu galw'n ffrindiau o hyn ymlaen. Y noson honno mi gysgais fel mochyn a hynny neb yr un freuddwyd. Rhywdro, yn y bore, fe glywais i sŵn curo a llais yn gweiddi: 'Oes 'na rywun yna?' Bron i mi gredu fod yr holl hunllef yn dechrau unwaith eto nes i mi adnabod y llais. Roedd Dad wedi dod adref o'r diwedd!

Wyt ti'n ddigon dewr
i ddarllen storïau eraill
yng nghyfres Gwaed Oer?

2

GWAED OER
PAUL STEWART
ADDASIAD JULI PASCHALIS
TIC TOC ARSWYD
Rhaid rhwystro'r cloc arswydus rhag dinistrio'r byd!

3

GWAED OER
NICHOLAS FISK
ADDASIAD IOLA JÔNS
GWENDEG
Tu ôl i'r wên mae anghenfil!

4

GWAED OER
ANTHONY MASTERS
ADDASIAD ROSS DAVIES
POLTERGEIST
Ysbryd blin sy'n gwrthod gadael!

5

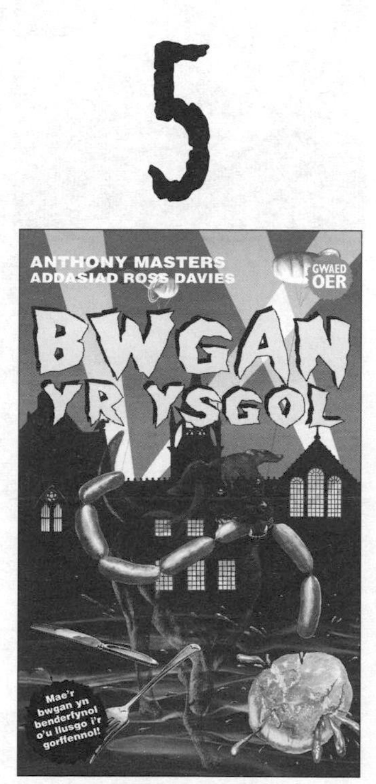
ANTHONY MASTERS
ADDASIAD ROSS DAVIES
GWAED OER
BWGAN YR YSGOL
Mae'r bwgan yn benderfynol o'u llusgo i'r gorffennol!

6

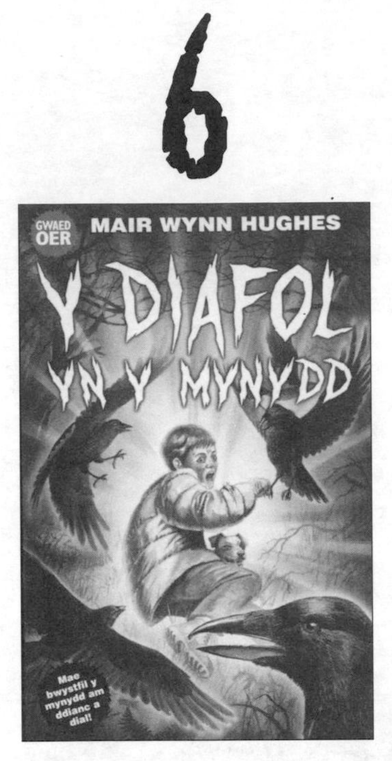
GWAED OER
MAIR WYNN HUGHES
Y DIAFOL YN Y MYNYDD
Mae bwystfil y mynydd am ddianc a dial!

7

GWAED OER
HELEN EMANUEL DAVIES
DRYCH OFN
WYTH STORI wych i dy gipio i fyd arswyd

8

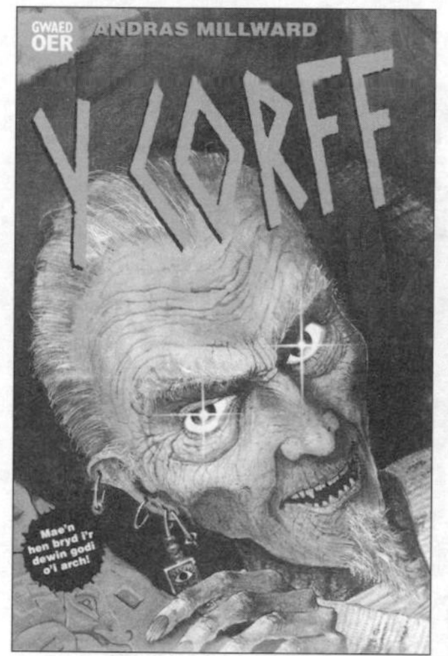
GWAED OER
ANDRAS MILLWARD
Y CORFF
Mae'n hen bryd i'r dewin godi o'i arch!

9

GWAED OER
SIÂN LEWIS
Y cwmni teledu sy'n darlledu'n syth i dy feddwl di!
STIWDIO ERCH

10
GWAED OER
MAIR WYNN HUGHES
HEN ŴR Y MÔR
Hunllef o haf i Non!